Cocina
divertida para niños

© 2013, Editorial LIBSA
C/ San Rafael, 4
28108 Alcobendas (Madrid)
Tel.: (34) 91 657 25 80
Fax: (34) 91 657 25 83
e-mail: libsa@libsa.es
www.libsa.es

Colaboración en textos: Carla Nieto Martínez
Ilustración: Archivo LIBSA, Shutterstock Images, 123rf
Edición y maquetación: Equipo editorial LIBSA

ISBN: 978-84-662-2540-3

DL: M-1011-2013

Contenido

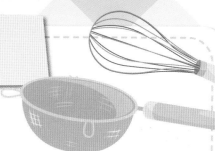

Introducción

De pinche a chef

Seguro que más de una vez has estado curioseando por la cocina cuando tu mamá preparaba una receta y puede que incluso le hayas echado una mano en la elaboración de algún plato batiendo los huevos, espolvoreando el azúcar o mezclando una salsa, por ejemplo. Es decir, que ya tienes experiencia como «pinche», que es el nombre que reciben los ayudantes de los grandes cocineros a los que se les encargan tareas sencillas, pero sin las cuales sería difícil la preparación de platos y menús complicados.

Ahora ha llegado el momento de que seas tú el protagonista absoluto de los fogones, es decir, pasar de pinche a chef, que es la máxima autoridad dentro de una cocina que se precie y que diseña y elabora por sí mismo todo tipo de manjares, a cada cual más delicioso. ¿Te parece difícil? ¡En absoluto! Basta con que dispongas de las recetas adecuadas, que las sigas al pie de la letra, que tengas a mano los ingredientes indicados, que respetes los tiempos, que pongas en práctica esos trucos y estrategias que convierten un plato simple en una obra de arte y, sobre todo, que te lo pases muy, pero que muy bien.

Las páginas de este libro pretenden ser un curso práctico que te enseñará a manejarte en la cocina de la forma más divertida. Y como todo «libro de texto» que se precie, hemos ido de menor a mayor dificultad, empezando por las lecciones más sencillas, los entrantes (ensaladas, canapés, bocadillos…..) para, a partir de ahí, ir avanzando poco a poco en el apasionante mundo de los platos principales (albóndigas, hamburguesas y demás) y de los postres, llegando finalmente al grado más alto de maestría que se le puede pedir a un chef: las recetas de fiesta.

¿A que es un reto divertido? No te preocupes ni te dejes impresionar por los nombres de algunas recetas, ya que en cada una de ellas están descritos, con total minuciosidad y claridad, los ingredientes que necesitas, cuánto tiempo te va a llevar elaborarla, qué tienes que hacer paso a paso y hasta la forma de presentar y decorar muchos de estos platos. Basta con que seas disciplinado y tengas un poco de habilidad para que consigas preparar todas y cada una de las recetas que te ofrecemos a la perfección.

En cada receta encontrarás una etiqueta con los siguientes símbolos que te indicarán la dificultad de realización del plato:

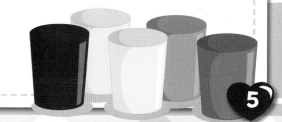

¡Puedes hacerla tranquilamente, porque es muy fácil!

¡Empiezas a ser un cocinero!

¡Esto se complica un poco!

¡Difícil, necesitarás ayuda!

Además, empezaremos con un buen número de trucos, ideas y curiosidades que harán que aumenten tus conocimientos de cultura gastronómica y que conozcas muchos de los secretos que se esconden tras recetas tan cotidianas como, por ejemplo, la tortilla a la francesa, la ensaladilla rusa o un plato de macarrones.

En el libro encontrarás también las pautas básicas que debes seguir para usar los cubiertos y comportarte en la mesa, ya que no todo es cocinar: comer también es un arte y hay que hacerlo correctamente, lo que supone saber desde dónde colocar adecuadamente un cuchillo hasta enrollar los espaguetis en el tenedor de la forma apropiada.

Te contamos también las claves de una alimentación equilibrada para que sepas cuáles son esos alimentos que nunca deben faltar en tu dieta y los tengas en cuenta a la hora de elaborar tus menús. Los utensilios básicos que vas a necesitar en la cocina, el significado de los términos culinarios más frecuentes, las precauciones que siempre debes adoptar cuando te pongas a cocinar, los americanismos más habituales y la interpretación de las medidas y equivalencias que con más frecuencia aparecen en las recetas son otros de los aspectos que se abordan a lo largo de estas páginas.

Y como cocinar es una experiencia que no conoce fronteras, hemos incluido también algunas peculiaridades de las cocinas más famosas y pintorescas del mundo (China, Brasil, Francia, México, Groenlandia…) con sus platos típicos y propuestas de recetas para que tu repertorio sea cosmopolita.

¿Te atreves a dar el salto y pasar de ser un aficionado «cocinillas» a convertirte en un auténtico chef? ¡Pues a por ello! Nosotros te proporcionamos el «libro de recetas» y te dejamos «con las manos en la masa». La guinda del pastel la pones tú. ¡Suerte!

RECUERDA: En la cocina se utilizan utensilios (cuchillos, tenedores, etc.) que pueden ser peligrosos si no se usan correctamente; SIEMPRE debes pedir ayuda a un adulto para utilizarlos y para encender el fuego o el horno.

• **A punto:** En su justo punto de cocción o sazonado.

• **Al dente:** Término italiano que indica el punto perfecto del cocimiento de la pasta.

• **Aderezo:** Conjunto de ingredientes con los que se sazonan las ensaladas y otro tipo de comidas.

• **Bañar:** Cubrir totalmente una preparación con una materia líquida, pero lo suficientemente espesa como para que permanezca.

• **Batir:** Sacudir enérgicamente con las varillas batidoras los ingredientes hasta obtener la textura o densidad deseada.

• **Cocer:** Someter a la acción del fuego un alimento, hirviéndolo en agua, caldo, al vapor, al baño María o al horno, hasta que esté tierno.

• **Cuajar:** Dejar que una preparación se espese o solidifique.

• **Desleír:** Disolver en un líquido (agua, leche, caldo).

• **Dorar:** Freír u hornear un alimento hasta que adquiera un bonito color marrón.

• **Empanar:** Envolver en pan rallado y huevo para freír o rehogar.

• **Enharinar:** Envolver en harina para freír o rehogar.

• **Entrantes o entradas:** El primer plato que se sirve.

• **Espolvorear:** Repartir en forma de lluvia un ingrediente (generalmente azúcar o especias).

• **Estofado:** Tipo de guiso en el que todos los ingredientes (generalmente carnes y verduras) se ponen crudos y a la vez.

• **Forrar:** Cubrir las paredes interiores de un molde con una capa de pasta, gelatina, masa, etc., dejando un hueco central para rellenarlo con un preparado distinto.

• **Freír:** Poner un alimento en grasa o aceite hirviendo.

• **Glasear:** Meter un alimento en el horno para abrillantarlo. También echar por encima un glaseado (en repostería).

• **Gratinar:** Incorporar queso o pan rallado para, después, meterlo en el horno o microondas y conseguir así que se forme una corteza dorada.

• **Grumos:** Bolas que se forman en las sopas, papillas y salsas como consecuencia de no removerlas adecuadamente.

• **Guarnición:** Todo aquello que sirve para adornar un plato: verduras, patatas, frutas…

• **Hervir:** Cocer un alimento por inmersión en un líquido en ebullición.

• **Juliana:** Cortar en juliana significa que las verduras tienen que trocearse en tiritas finas.

• **Levadura:** Fermento en polvo o prensado que hace aumentar el volumen de una masa, volviéndola más esponjosa.

• **Macerar:** Poner en un líquido frío algunos ingredientes para extraer las sustancias que contienen.

• **Macedonia:** Conjunto o mezcla compuesta por varios tipos de hortalizas o frutas.

• **Majar:** Machacar y aplastar unos ingredientes con la ayuda de un mortero.

• **Moldear:** Utilizar un molde para dar forma a algún alimento.

• **Montar:** Batir nata o claras de huevo hasta que se solidifiquen o espesar una salsa batiendo mientras se añade mantequilla u otra grasa.

• **Pasar o colar:** Filtrar un preparado para eliminar cualquier resto sólido utilizando para ello un colador.

• **Rehogar:** Dar vueltas sobre un fuego vivo en una sartén o cacerola a los alimentos, para que tomen color.

• **Reposar:** Dejar una masa tapada con un paño durante unos minutos para favorecer que comience el proceso de fermentación.

• **Salpimentar:** Echar sal y pimienta a un alimento o preparación.

• **Saltear:** Freír a fuego muy intenso, haciendo que los alimentos «salten» mediante movimientos del mango de la sartén, evitando que se peguen o se tuesten.

• **Sazonar:** Condimentar cualquier alimento con sal y especias.

• **Sofreír:** Freír un alimento en una sartén o cacerola a fuego lento hasta obtener el punto deseado de ternura y color.

• **Trabajar:** Remover, amasar, etc., una masa o preparación para conseguir que quede homogénea.

• **Volován:** Tartaleta hueca de hojaldre para rellenar.

Nociones básicas para cocineros novatos

¿**P**reparado para descubrir lo divertido que es elaborar tus propias recetas? Muy bien, pero, antes de empezar, hay una serie de nociones y «reglas del juego» que debes conocer... y respetar.

1. Los mandamientos de un buen «mini-chef»

No improvises

Debes leer bien la receta que vas a preparar, los ingredientes que vas a necesitar y, sobre todo, decírselo a mamá o a papá, para que supervisen tu «creación» y te ayuden en lo que necesites. Sigue los pasos al pie de la letra, para evitar olvidos y asegurarte de que tu receta va a salir perfecta.

Todo a mano

Antes de empezar a preparar la receta, pon todos los ingredientes que vas a necesitar sobre la mesa, a ser posible en el orden en el que los vas a utilizar.

Ni encender ni apagar

Cuando tengas que usar el horno, el microondas, la batidora o cualquier otro electrodoméstico, pide a un adulto que sea él quien lo encienda y lo apague.

NUNCA LO HAGAS TÚ SOLO.

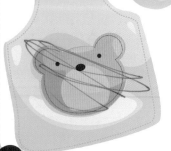

Ponte el uniforme

Cualquier chef que se precie lleva un delantal más o menos amplio para evitar mancharse la ropa al preparar las recetas. Si tienes el pelo largo, recógetelo. Y no te olvides de lavarte las manos antes de empezar a manipular los alimentos.

Usar, limpiar, guardar

Por muy bien que te salga una receta, quedará muy deslucida si dejas la cocina como un campo de batalla. Vete limpiando las zonas de la cocina (encimera, mesa…) a medida que las utilizas, y lavando o metiendo los utensilios en el lavavajillas cuando ya no los vayas a usar más.

2. Algunos detalles a tener en cuenta

1. Nunca toques un aparato o cable eléctrico con las manos mojadas.

2. Pon siempre los mangos de cazos y sartenes hacia un lado, para evitar darles un golpe y que se te caiga encima su contenido.

3. Cuidado con los cuchillos: hasta los cocineros más expertos se han cortado alguna vez.

4. No te acerques al horno cuando esté encendido ni cuando se haya apagado hace poco.

5. Si no alcanzas algún alimento de la nevera o la despensa, pide a un adulto que lo haga por ti, Nunca te subas a sillas o taburetes de cocina, ya que son muy inestables y corres el riesgo de caerte.

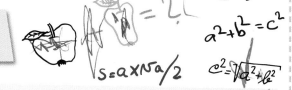

3. Un poco de matemáticas

Para acertar con las cantidades exactas de alimentos que debes añadir a tus recetas, ten siempre a mano esta lista con las principales medidas y equivalencias:

Vasos, copas, tazas…

• Un vaso de agua = 250 ml = 250 g
• Un vaso de vino = 100 ml = 100 g
• Una copa de licor = 25-30 g
• Una taza de café = 100 ml = 100 g
• Una taza de té = 150 ml o 150 g
• Un vaso de yogur = 120 ml = 120 g
• Un pellizco de sal = 3 g

Una cucharada sopera rasa equivale a:

• Pan rallado: 8 g
• Nata líquida: 12 g = 12 ml
• Agua: 10 g = 10 ml
• Harina: 10-15 g
• Aceite: 12 ml
• Leche evaporada: 10 g
• Margarina o mantequilla: 15 g
• Arroz: 15-20 g
• Azúcar glas: 10 g
• Azúcar blanquilla: 15 g
• Una cucharada sopera = 3 cucharaditas de café = 10 a 12 g

Utensilios y aparatos de cocina
Cuáles son y para qué sirven

Ollas, cacerolas, electrodomésticos y demás enseres de cocina son imprescindibles para preparar cualquier receta. Cada uno de ellos cumple una o más funciones: por eso es importante que conozcas cuáles son los más importantes y cómo utilizarlos.

1. Los cuatro fantásticos

Recuerda:
SIEMPRE CON PAPÁ O MAMÁ

El robot de cocina

Los de nueva generación incorporan también batidora. Son ideales para mezclar y conseguir la textura adecuada de los ingredientes que forman parte de las recetas: trocean verduras, hacen purés, elaboran masas, montan nata…

La sartén antiadherente

Es una pieza multiusos, ya que, además de freír, permite hacer tortillas, preparaciones a la plancha e incluso crepes. Reduce la cantidad de aceite que necesitan las recetas y, lo que es más importante, es muy difícil que en ella se peguen los alimentos. Pero recuerda:

JAMÁS TE ACERQUES A UNA SARTÉN SI NO ES BAJO LA SUPERVISIÓN DE UN ADULTO.

El horno

Indispensable para asar y cocer en él alimentos como las carnes y los pescados, e imprescindible para la repostería (tartas y bizcochos). La temperatura depende del tipo de receta, pero siempre debe ser un adulto quien la regule y, por supuesto, quien introduzca y saque los recipientes y alimentos de su interior.

El microondas

Su gran ventaja es que permite cocinar los alimentos en tiempo récord. Además, realiza otras funciones imprescindibles para la preparación de un buen número de recetas: ablandar la mantequilla, gratinar el queso que se echa por encima de muchos platos, fundir chocolate, cuajar pasteles dulces o salados…

2. «Cacharros» y otros elementos

Cuencos

Los necesitas para hacer las mezclas, batir los huevos, calentar la mantequilla, elaborar salsas, dejar preparaciones en reposo… Los mejores son los que resisten el calor, ya que se pueden introducir directamente en el horno o en el microondas.

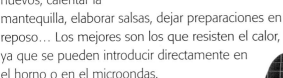

Cucharas y espátulas

Son el «arma secreta» para remover los alimentos sin que se peguen, y también sirven para vaciar todo el contenido de los cuencos. Pueden ser de madera o de otros materiales como la silicona.

Manoplas

Ten mucho cuidado cuando manipules platos, fuentes, ollas o cuencos y utiliza siempre manoplas al tocar un recipiente que ha estado en el horno o en el microondas.

Fuente de horno

Imprescindible para preparar en ella alimentos asados. Un truco: si la forras de papel vegetal, los alimentos no se pegarán y se harán conservando todo su sabor.

Coladores y escurridores

Indispensables para preparar platos de pasta, pero también para filtrar los restos sólidos de los batidos, por ejemplo.

3. Te ayudarán en tus recetas

Un vaso o jarra medidora

En ella están marcados, en mililitros para los líquidos y en gramos para el resto, las cantidades de cien en cien hasta alcanzar el litro (o el kilo). Resultan muy útiles para ajustar la cantidad de los ingredientes que hay que incorporar a la receta.

Las tijeras de cocina

Son ideales para cortar frutas y verduras evitando los riesgos que tienen los cuchillos. No obstante, utilízalas siempre en presencia de un adulto.

El rodillo

Es fundamental cuando se quiere una masa lisa, compacta y manejable (para hacer galletas, por ejemplo).

Las varillas

Resultan imprescindibles para la preparación de postres y dulces. Las batidoras y los robots de cocina incorporan varillas adaptadas a las texturas de las mezclas.

El rallador

Sirve para rallar o desmenuzar el queso y otros alimentos como el chocolate. Úsalo con cuidado y siempre bajo la supervisión de un adulto.

Alimentos que NO deben faltar

en tus menús

Lo primero es lo primero: tan importante como elaborar unas recetas sabrosas es asegurarte de que en tu dieta diaria no van a faltar ni uno solo de los nutrientes que necesitas para crecer y desarrollarte adecuadamente. Y eso lo consigues aprendiendo a manejar la pirámide nutricional.

1. Recomendaciones con base... y vértice

La pirámide nutricional es un gráfico en el que se refleja de forma sencilla y didáctica qué alimentos hay que consumir a diario para llevar una dieta lo más equilibrada posible. En él se recogen los grupos principales de alimentos y cuántas veces a la semana es recomendable consumirlos. En este gráfico, los alimentos están distribuidos en grupos según su composición nutricional y se colocan de acuerdo a la proporción en la que deben ingerirse: más arriba (recomendación de consumirlos con menor frecuencia) o hacia la base (alimentos que se deben consumir a diario).

2. Qué debes consumir...

A diario

- **Lácteos:** entre 2-4 raciones: leche, yogur, cuajada, queso, flanes, natillas.

- **Cereales:** entre 4-6 raciones: arroz, pastas, pan, patatas, etc.

- **Frutas, verduras y hortalizas:** cinco piezas.

- **Grasas:** entre 3-6 raciones diarias (preferiblemente de aceite de oliva).

- **Agua:** entre 1,5–2 litros, es decir, 6-8 vasos.

Semanalmente

- **Legumbres:** entre 3-4 veces a la semana (judías blancas y pintas, habas, guisantes, lentejas, garbanzos y soja).
- **Huevos:** entre 3-5 veces a la semana (tienen proteínas de alto valor biológico).
- **Carnes magras:** entre 3-4 veces a la semana.
- **Pescado:** entre 3-4 veces (2-3 de las raciones deben ser de pescado azul).

Ocasionalmente

- **Embutidos y carnes rojas.**
- **Alimentos ricos en azúcares simples** (dulces, refrescos, golosinas).
- **Alimentos con un alto contenido en grasas saturadas y ácidos grasos *trans*:** bollería industrial, *snacks*, patatas *chips*, repostería…

3. Y no te olvides de…

- Practicar alguna actividad física.
- Consumir alimentos de temporada.
- Incluir hierbas, especias y condimentos en tus menús.
- Intentar que las frutas y verduras que consumas sean variadas.
- De postre, intenta comer fruta la mayor parte de los días.
- Si tienes sed, bebe agua, no refrescos.
- La mejor guarnición para tus platos de carne y pescado son las verduras y los cereales (pasta y arroz).
- Recuerda que el aceite de oliva es el mejor acompañamiento para ensaladas, guisos y tentempiés.

Los cubiertos: cómo colocarlos y usarlos en la mesa

Usar y colocar los cubiertos o el servicio en la mesa es todo un arte. Con ello se puede decir que una comida no te ha gustado, o que estaba estupenda, o que quieres que te traigan un segundo plato... ¿Cuál es el secreto? La posición de los cubiertos en el plato ¡que vamos a aprender ahora mismo!

1. ¿Cómo se colocan los cubiertos en la mesa?

Ten en cuenta estas pautas cuando ayudes en casa y pongas la mesa para toda tu familia.

Los cubiertos de postre

Se colocan en la parte superior del plato.

El tenedor

Se sitúa a la izquierda del plato, con las puntas hacia arriba.

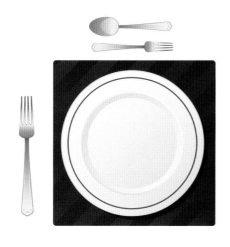

El cuchillo

Se coloca siempre a la derecha del plato, con el filo hacia adentro.

La cuchara

Se pone a la derecha del cuchillo, con la parte cóncava hacia arriba.

En cuanto a la utilización de los cubiertos, hay una norma con la que nunca fallarás: siempre se empiezan a usar los que están más alejados del plato (de fuera hacia adentro). También es importante que sepas cómo manejarlos adecuadamente:

La cuchara

La forma correcta de usarla es tomarla con la mano derecha y entre los dedos pulgar, índice y corazón, y con la parte cóncava hacia arriba.

El tenedor

Con la mano derecha y las púas hacia arriba: así debes utilizarlo. Cuando lo uses en combinación con el cuchillo, para ayudarte a partir y trocear los alimentos, lo correcto es sujetarlo con la mano izquierda y con las púas hacia abajo.

El cuchillo

Se agarra con la mano derecha y el filo hacia abajo, haciendo una ligera presión con el dedo índice. Si el menú incluye pescado y en la mesa hay una pala para comerlo, recuerda que esta hace la misma función que el cuchillo (sirve para partir y empujar la comida sobre el tenedor). ¡Nunca te lleves la pala de pescado a la boca!

2. ¿Cómo se dejan los cubiertos al terminar de comer?

Si vas a hacer una pausa

Déjalos sobre el plato (nunca encima del mantel o de la servilleta). La forma de colocarlos es la siguiente: el tenedor con las púas hacia abajo y el cuchillo con el filo hacia adentro, formando un ángulo de 45º.

Si has terminado de comer

Pon el cuchillo y el tenedor juntos, al lado derecho del plato. El tenedor se coloca con los dientes hacia abajo y el cuchillo con el filo hacia dentro.

3. Lo que NUNCA debes hacer

• Nunca te lleves el cuchillo a la boca, ni lo chupes ni lo limpies con la servilleta.

• Lleva la comida a la boca… no la boca a la comida, agachándote demasiado o acercando en exceso la cara al plato. Recuerda que es el brazo, y no tu cuerpo ni tu cabeza, el que «trabaja» a la hora de sentarte a la mesa.

• Una de las reglas de urbanidad más básicas: no pongas nunca los codos sobre la mesa.

• Causa muy mal efecto trocear toda la carne o el pescado en el plato antes de empezar a comer: hay que ir cortando los alimentos a medida que se van comiendo.

• Evita hacer ruido al masticar y hazlo siempre con la boca cerrada. Tampoco sorbas la sopa ni cuando bebas agua.

• Adapta los bocados al tamaño de tu boca: los alimentos se parten en el plato, no cuando han llegado a los dientes.

• Recuerda que la posición de la servilleta es siempre sobre las rodillas (no te la pongas de babero: ¡ya no eres un bebé!).

Ideas de menús

Una de las cosas más divertidas de la cocina es que puedes hacer tus propias combinaciones de tus platos favoritos. Aquí te damos algunas ideas de cómo mezclar las recetas que te presentamos en este libro:

Menú «Desayuno sano»

- Yogur con frutos rojos y muesli (página 90)
- Brochetas de fruta (página 92)
- Bolitas de melón y sandía (página 94)
- Smoothie de plátano (página 96)

Menú «Cena riquísima»

- «Crostinis» con jamón (página 56)
- Tortilla a la francesa con jamón y ensalada (página 58)
- «Nuggets» caseros de pollo con salsa (página 62)
- Sándwich frío (página 64)
- Arroz con leche (página 82)

Menú «Comida para chuparse los dedos»

Entrantes

- Ensalada de arroz (página 22)
- Rollitos de merluza y bacón (página 34)
- Volovanes rellenos de pollo y salsa (página 44)

Platos principales

- Albóndigas con tomate (página 48)
- Patatas rellenas de carne (página 66)
- Hamburguesas de pescado con alioli (página 70)

Postres

- Bocaditos de manzana (página 84)
- Fresas con nata (página 86)

Menú «Fiesta de cumpleaños»

- Aperitivos de jamón de York y queso (página 26)
- Salchichas con gabardina (página 32)
- Minihamburguesas (página 38)
- Bocaditos de paté (página 42)
- Semáforo de gelatina (página 88)
- Batido de frutos rojos (página 102)
- Cupcakes de cumpleaños (página 116)

Menú «Merienda inolvidable»

- Batido de chocolate (página 104)
- Crepes con sirope y helado (página 118)
- Tarta de queso con bolitas de helado (página 120)
- Chocolate caliente con galletas (página 132)

Menú «Fiesta de Halloween»

- Canapés de queso y fruta (página 28)
- Triangulitos de tortilla (página 36)
- Bocaditos de salchicha (página 54)
- Bocaditos de salmón (página 74)
- Tumbas de chocolate (página 108)
- Cupcakes de muerte (página 112)
- Arañas de chocolate (página 114)

Para abrir boca, como antesala a una comida «consistente», o simplemente para picar, los platos que encontrarás a continuación son, además de ligeros, muy sencillos de preparar, por lo que resultan ideales para empezar a entrenarte en el arte culinario.

¡Comienza el espectáculo!

PARTE 1
Entrantes

We ❤ pasta

¿Te imaginas que no existieran los espaguetis ni los macarrones? Imposible, ¿verdad? Este plato, típico de Italia, se ha internacionalizado hasta tal punto que es raro el país en el que no forma parte de los menús habituales. Preparar la pasta es muy fácil y se puede hacer de muchas, muchísimas maneras.

1. Su origen

Hay varias teorías. Para unos, fue Marco Polo quien la descubrió en uno de sus viajes a China. Pero en Italia, la idea más extendida es que este alimento ya se consumía en el país desde mucho antes. De hecho, en algunos textos antiguos sicilianos se mencionan los macarrones y son muchos los que sitúan su origen en Nápoles. Lo cierto es que independientemente de su origen, los italianos son los «campeones» en lo que a la preparación de la pasta se refiere.

Básicamente, hay dos tipos de pasta: la que se elabora a base de agua y harina de trigo duro, que es la que se compra lista para preparar (y de la que puedes encontrar un amplio surtido en el supermercado); y la pasta hecha con harina y huevo, que es la conocida como «pasta fresca» o «pasta casera» porque tiene que elaborarse en casa. Tanto unas como otras aportan una buena cantidad de nutrientes.

2. Tipos de pasta

Hay muchísimos tipos de pasta, pero aquí tienes algunos de los más conocidos:

Macaroni

Los tradicionales macarrones. Tubitos finos, curvos o rectos.

Penne

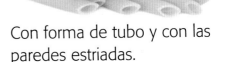

Con forma de tubo y con las paredes estriadas.

18

Fusilli

Son conocidas también como hélices.

Espaguetis

Los clásicos, alargados y circulares.

Tortellini

Con forma de nudo, pueden ir rellenos de carne, queso o verduras.

Tallarines

Similares a los espaguetis, pero planos y más anchos.

Rigatoni

Tubos anchos curvados con textura estriada, más gruesos que los penne.

Ravioli

Pasta rellena con forma de paquetito cuadrado.

3. Enrollarla: todo un arte

¿Sabías que ayudarse de una cuchara para enrollar unos espaguetis o unos tallarines, por ejemplo, se considera prácticamente una ofensa en Italia? La clave para hacerlo «protocolariamente» es enrollar unos pocos espaguetis, separándolos de los demás, apoyando la punta del tenedor contra el borde del plato, y hacer rotar el tenedor hasta que la pasta esté enrollada en él. El secreto es este: enrollar muy poca cantidad de pastas largas. Practica una y otra vez; en poco tiempo disfrutarás de tus platos de pasta como un auténtico «italianini».

Ensalada de queso y pasta

✓ Textura «al dente»

Dificultad: 🍴

Tiempo: 12 minutos

Comensales: 4

Necesitas

- 200 g de fusilli tricolor
- Un tomate rojo picado
- 50 g de pepinillos en rodajas
- 50 g de queso de bola en taquitos
- 50 g de queso azul en taquitos
- Un chorrito de aceite de oliva

1 Cuece la pasta en abundante agua salada hirviendo: déjala hacer el tiempo indicado en el paquete (6-8 minutos). Cuélala bien y reserva en un bol.

2 Añade el tomate, cortado en trocitos muy finos, y el pepinillo en rodajas.

3 Por último, incorpora los trozos de queso. Aliña la ensalada con un chorrito de aceite de oliva y remueve antes de servir.

Esta ensalada es una fórmula estupenda para aprovechar la pasta que le ha sobrado a tu madre al cocerla. Como toque final, puedes añadir también unos picatostes.

El secreto de una pasta exquisita (firme y un poco dura) es cocerla «al dente», que significa en su punto. Para ello es fundamental añadirla al agua hirviendo y, a partir de ese momento, respetar el tiempo exacto que viene indicado en el paquete. Un truco para saber si ya está «al dente»: si al sacarla del agua y romperla, la parte del centro tiene un color más fuerte que la de fuera, quiere decir que ya está lista.

El arroz basmati, originario de la India, es uno de los más sabrosos y aromáticos (su olor recuerda a la nuez), por lo que se utiliza como guarnición y sirve como base excelente para las ensaladas. Además, te aporta mucha energía... y muy poca grasa.

El toque de sabor de esta receta lo aporta la salsa rosa: mezcla la cucharada y media de mayonesa con la cucharada de kétchup hasta «rebajar» el tono rojo de la mezcla. Cuando tenga el color rosa característico, añade media cucharadita (de las de café) de mostaza, ¡un mini truco que hará que tu salsa salga de-li-cio-sa!

Ensalada de arroz

✓ ¡Exótica y muy rosa!

Dificultad: 🍴

Tiempo: 25 minutos

Comensales: 4

Necesitas

- 200 g de arroz basmati
- 2 tomates
- Un pimiento rojo
- Un pimiento amarillo
- Varias hojas de rúcula, lechuga o similar
- Para la salsa rosa: una cucharada y media de mayonesa, una cucharada de kétchup, media cucharadita de mostaza

1 Cuece el arroz en abundante agua hirviendo con sal (dos medidas de agua por una de arroz) durante aproximadamente 20 minutos. Retira del fuego y déjalo enfriar.

2 Añade los tomates cortados en trozos, los dos tipos de pimientos en trocitos pequeños y la lechuga.

3 Remueve todos los ingredientes e incorpora la salsa rosa.

Corta las verduras con la ayuda de unas tijeras de cocina. ¡Verás qué picadillo vegetal tan multicolor!

Debido al sabor derivado de la mezcla del arroz con las verduras, esta receta también resulta muy sabrosa con un simple aliño a base de aceite y vinagre.

Ensaladilla rusa sobre tomates

✓ Festival sobre fondo rojo

Necesitas

- 3 patatas medianas
- 2 huevos
- Una zanahoria
- 200 g de atún en aceite
- 2 pepinillos en tiras
- 250 ml de mayonesa
- 4 tomates no muy maduros

Dificultad: 🍴🍴

Tiempo: 25 minutos

Comensales: 4

1 Cuece las patatas en agua con sal durante unos 10 minutos, pasados los cuales, introduce los huevos y la zanahoria. Déjalo al fuego unos 10 minutos más.

2 Cuando se hayan enfriado un poco, pela las patatas, la zanahoria y los huevos; ponlos en un bol y añade el atún y la mayonesa. Mezcla todo muy bien.

3 Corta los tomates en dos y quítales toda la pulpa. Rellénalos con la ensaladilla y ponlos en la nevera hasta el momento de servir.

La ensaladilla rusa se llama así porque tiene su origen en un restaurante de San Petersburgo, llamado Hermitage (como el museo), donde fue creada por su chef en 1860. Al parecer la ensaladilla original incorporaba muchos más ingredientes que la versión actual: vinagre, caviar, faisán, cangrejos de río, trufas…

Para darle esa forma tan divertida al tomate, utiliza unas tijeras de cocina y ve cortando en diagonal, formando pequeñas montañas o dientes.

Si quieres una ensaladilla más sabrosa, puedes añadirle anchoas, aceitunas, maíz en grano... También puedes sustituir la mayonesa por salsa rosa. Y decora con alguna hierba picada (perejil, cilantro, romero...).

✓ El tomate es muy rico en una sustancia, el licopeno, que es muy importante para mantener tus células siempre jóvenes y en forma.

Aperitivos
de jamón de York y queso

✓ Versión rápida del sándwich «mixto»

Dificultad:

Tiempo: **5 minutos***

Comensales: **4**

* Más 30 minutos en la nevera.

1 Extiende una loncha de jamón; úntala con queso crema, previamente batido, y pon encima una loncha de queso.

2 Repite la operación hasta que consigas tres o cuatro capas de la mezcla.

3 Mete en la nevera durante aproximadamente 30 minutos. Con la ayuda de un cuchillo, corta en forma de triángulos o de cuadrados y colócales encima de una «cama» hecha con la verdura.

Necesitas

- 250 g de jamón de York (cortado en lonchas gruesas)
- Una tarrina (300 g) de queso crema (para untar)
- 250 g de queso para sándwich (cortado en lonchas gruesas)
- Canónigos, para adornar

Este entrante también es muy recomendable como merienda y como desayuno.

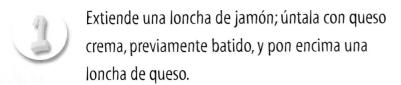

Esta receta es muy rica en calcio, un mineral absolutamente imprescindible para fortalecer tus huesos. Consumir todos los días productos ricos en este nutriente (principalmente la leche y sus derivados, como el queso y el yogur) te asegura unos huesos súper resistentes, a prueba de fracturas.

Canapés de queso y fruta

✓ De aperitivo... o de postre

Dificultad:

Tiempo: 5 minutos

Comensales: 8

Necesitas

- 100 g de uvas verdes
- 100 g de uvas negras
- 100 g de fresas
- 100 g de melocotón en almíbar
- 250 g de queso gouda
- Unas ramitas de menta
- Palillos o minibrochetas de colores

1 Limpia bien todas las frutas y resérvalas.

2 Divide el queso en varias porciones y, con la ayuda de un molde, dale forma de estrella (o de lo que tú quieras).

3 Pincha en un palillo o en una minibrocheta de colores dos porciones de queso y pon encima un trozo de fruta.

Los expertos recomiendan consumir cinco piezas de fruta y verdura al día, y qué mejor forma de asegurarte esa dosis con recetas como esta. ¿Quién dijo que comer sano era aburrido?

Es una receta que «entra por los ojos» y supone una forma deliciosa y divertida de comer fruta.

✓ Si te gusta el picante, añade un poco de tabasco, una salsa típica mexicana.

ASÍ SE HACEN LAS FLAUTAS

Mezcla la harina con el agua y una cucharada de mantequilla fundida. Deja reposar la masa obtenida cubriéndola con film de plástico. Después, haz con la masa bolitas de aproximadamente unos 4 cm, extiéndelas con la ayuda de un rodillo y pásalas por una sartén antiadherente, sin aceite, vuelta y vuelta.

Flautas de pollo y vegetales

✓ ¡Hum, qué rico!

Dificultad: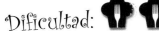

Tiempo: 20 minutos

Comensales: 4

 1 Prepara las flautas y resérvalas (ver cuadro de página anterior).

 2 En una cazuela, pon el aceite a fuego suave y añade la cebolla, los pimientos y el calabacín cortados en trozos. Deja rehogar durante unos minutos e incorpora el pollo, cortado también en trozos.

 3 Deja cocinar a fuego suave unos 5 minutos, sin dejar de remover, para evitar que se pegue.

 4 Pon el relleno y los trozos de tomate en el centro de la flauta y, después, enróllala. Acompaña con hojas de lechuga.

Necesitas

Para las flautas:

- 250 g de harina de maíz o de trigo
- Medio litro de agua
- Mantequilla

Para el relleno:

- Un poco de aceite
- Una cebolla
- Un pimiento rojo
- Un pimiento verde
- Medio calabacín
- 200 g de pechuga de pollo
- 2 tomates maduros
- Hojas de lechuga

¿El mejor toque final? Un poco de queso rallado por encima de la flauta. Mételo a fundir unos segundos en el microondas.

Las flautas van muy bien con otro tipo de rellenos: jamón y queso, ensalada mixta (con el tomate cortado en trocitos), paté… ¡Échale imaginación!

Salchichas con gabardina

✓ Placer «camuflado»

Dificultad: 🍴🍴

Tiempo: 25 minutos

Comensales: 8-10

Necesitas

- Masa de hojaldre (una plancha)
- Un bote de salchichas mini (tipo Frankfurt)
- Un huevo

Puedes sustituir las salchichas por otros embutidos.

1 Corta el hojaldre en tiras finas y, luego, divídelas por la mitad.

2 Enrolla con el hojaldre cada una de las salchichas, y asegúrate de pegar bien los extremos.

3 Pincela con el huevo batido y coloca en el horno, previamente precalentado a 180 °C. Déjalas hacer hasta que estén doraditas.

Las salchichas tipo Frankfurt son uno de los embutidos más sanos, ya que apenas aportan grasa y suponen una estupenda fuente de proteínas. También son muy ricas en sodio.

Rollitos de merluza y bacón

✓ De tierra y mar

Dificultad:

Tiempo: 20 minutos

Comensales: 8

Necesitas

- 8 filetes de merluza (limpios y sin espinas)
- Sal y perejil
- 250 g de bacón en lonchas finas
- Palillos
- Un chorrito de aceite de oliva

 Sazona el pescado y enrolla cada filete con una loncha de bacón. Sujeta con un palillo.

 Pon los rollos en una fuente de horno, previamente precalentado, y riega con un chorrito de aceite.

 Déjalos hacer a 180 ºC durante aproximadamente 10-12 minutos, evitando que el bacón se chamusque.

No te pases de sal: con una pizca basta, ya que tanto el pescado como el bacón son alimentos ya de por sí salados.

El bacón tiene un poco de mala fama por la cantidad de grasa que contiene. Si te gusta mucho, prueba a hacerlo en el microondas, en vez de freírlo, dejándolo cocinar encima de un plato forrado de papel vegetal, para que absorba todo el exceso de grasa.

Triangulitos de tortilla

✓ ¡Olé, olé y olé!

Dificultad: 🍳🍳🍳

Tiempo: 45 minutos

Comensales: 6-8

Necesitas

- 500 g de patatas
- 6 huevos
- Sal
- Aceite (aproximadamente dos cucharadas)
- 100 g de jamón de York en taquitos
- 100 g de guisantes cocidos (en lata)

1 Pela las patatas y córtalas en láminas finas. Bate los huevos con la ayuda de un tenedor, añádeles un poco de sal y pon a calentar el aceite a fuego medio (siempre con la supervisión de un adulto).

2 Echa las patatas en la sartén y déjalas hacer hasta que adquieran un tono dorado.

3 Añade los huevos batidos y mézclalo todo. Cuando empiecen a cuajar, incorpora los taquitos de jamón y los guisantes. Déjalos hacer un par de minutos.

Es muy importante que hagas esta receta con la ayuda de un adulto y que pidas su colaboración, sobre todo en el paso de dar la vuelta a la tortilla para evitar que se desmorone.

4 Pon un plato o un «vuelca tortillas» encima de la sartén; dale la vuelta y vuelve a colocarla en la sartén, para que se haga por el otro lado. Retira de la sartén y déjala reposar durante unos minutos, para que todos los ingredientes queden bien ligados entre sí.

36

¿Has probado la tortilla de patata rellena? Una vez hecha, ábrela por la mitad y rellénala de jamón y queso, de atún con mayonesa, de pimientos asados...

✓ Para que la tortilla no se pegue, mueve ligeramente la sartén mientras se esté cuajando.

TRUCO

La única dificultad que tiene esta receta es darle la vuelta a la tortilla (hay muchos chefs a los que les resulta complicado...). El truco es hacerlo lo más rápido posible para que no se escurra fuera de la tapa o del plato. Intenta voltearla en un único movimiento para evitar así mancharte o quemarte. También resultan muy útiles las sartenes dobles, especiales para hacer tortillas.

Minihamburguesas

✓ Minibocados de placer

Dificultad: 🍴🍴

Tiempo: 25 minutos

Comensales: 8

Necesitas

- 400 g de carne picada de ternera
- 2 huevos
- 100 g de miga de pan mojada en leche
- Sal
- 4 lonchas de queso para fundir (cortadas en dos)
- 8 panes de minihamburguesa
- Un tomate
- Unas hojas de lechuga
- Kétchup y mostaza

 Pon la carne en un cuenco; haz un agujero en el centro e incorpora los huevos, la miga de pan y una pizca de sal. Mezcla todo con las manos y deja reposar unos 3 minutos.

 Haz ocho bolitas con la mezcla y, a continuación, aplástalas dándoles forma de hamburguesa. Ponlas en el horno precalentado a 180 °C durante unos 12-15 minutos.

 Pasado este tiempo, saca las hamburguesas del horno, ponles encima el queso y déjalas hacer 2 minutos más, hasta que el queso se funda.

 Retíralas del horno, mete cada una en un pan y pon encima una rodaja de tomate y un poco de lechuga. Añade kétchup y mostaza al gusto.

Es mucho más saludable preparar las hamburguesas al horno que, por ejemplo, freírlas. Además, las carnes cocinadas al horno «se hacen» en su propio jugo, con lo que conservan todo su sabor.

Brochetas de tomate y mozzarella

✓ Tentempié mediterráneo

Dificultad:

Tiempo: 5 minutos

Comensales: 8

Necesitas

- 250 g de tomates cherry
- 250 g-300 g (una bolsita) de bolitas de mozzarella
- Unas hojas de albahaca
- Un chorrito de aceite de oliva
- Sal
- Palitos de brocheta

 1 Lava bien los tomates. En cada palito coloca una bolita de mozzarella, un tomate cherry, otra bolita… Así hasta completar el palito.

 2 Una vez hechas, coloca las brochetas en un plato, sobre un lecho de albahaca.

 3 Rocía con un chorrito de aceite de oliva y echa un poco de sal por encima.

Si no encuentras albahaca, sustitúyela por rúcula, menta, berros… Este tipo de verduras son el complemento ideal para este tentempié tan típico de la dieta mediterránea.

La mozzarella es un tipo de queso que se puede elaborar a partir de leche de vaca o de búfala (esta última es más cara y selecta). Según los expertos, una buena mozzarella debe cumplir tres requisitos: estirarse, derretirse y gratinarse sin problema. Tal vez por eso es un ingrediente imprescindible en las pizzas.

¡TOMA NOTA!

Los tomates cherry son más pequeños (y más sabrosos, ya que resultan menos ácidos) que los tomates típicos. Se utilizan sobre todo para dar sabor y color a ensaladas, pastas, salteados, etc. Son muy ricos en vitamina C, aportan fibra y contienen minerales indispensables para el crecimiento como el potasio y el magnesio.

✔ Para darle más colorido y sabor puedes intercalar aceitunas en las brochetas.

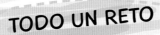

¿Te atreves a preparar un paté «marinero» casero? Es muy sencillo: necesitas una lata de sardinas en aceite, 200 g de bonito también en aceite, una lata de mejillones en escabeche y 50 g de mantequilla. Mete todo en la batidora (menos el líquido de los mejillones) hasta formar una mezcla homogénea. Pon la mezcla en un recipiente con tapa y consérvalo en la nevera.

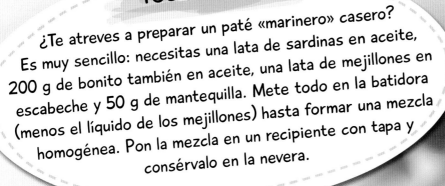

Estos bocaditos admiten muchas variedades: por ejemplo, sustituye el paté por una loncha de jamón y otra de queso o, también, por trocitos de tortilla francesa.

Bocaditos de paté

✓ Ideales para tu fiesta de cumpleaños

Dificultad:

Tiempo: 8 minutos

Comensales: 8

 1 Parte cada rebanada de pan en ocho trocitos y unta cada uno de ellos con el paté.

 2 Pincha en cada palillo una aceituna, la mitad de un tomate cherry y un poco de lechuga.

 3 Una vez completos los palillos, pínchalos en el pan untado con el paté.

Necesitas

- 5 rebanadas de pan de molde integral sin corteza
- 100 g de tomates cherry
- Una lata de paté (110 g)
- 100 g de aceitunas
- Unas hojas de lechuga
- Palillos de colores

Para esta receta puedes utilizar cualquier tipo de paté: de cerdo, de jamón, de pescado, a la pimienta, de roquefort...

Chef

Este canapé resulta ideal para tus fiestas de cumpleaños. Aprende a hacerlo, ayuda a tu madre y sorprende a tus amigos.

Volovanes rellenos

✓ Especialidad francesa

de pollo y salsa

Dificultad: 🍴🍴

Tiempo: 15 minutos

Comensales: 4

Necesitas

- 2 pechugas medianas de pollo
- Un poco de aceite
- Sal y pimienta
- Salsa de queso cheddar
- 8 volovanes listos para rellenar
- 100 g de cebollino

1 Salpimenta las pechugas; úntalas con un poco de aceite y ponlas a hacer en el horno (previamente precalentado a 180 ºC) o en el microondas durante unos 8 minutos. Cuando estén listas, deja que se enfríen un poco.

2 Córtalas en trozos muy pequeños. Echa por encima la salsa de queso y mezcla todo.

3 Rellena con esta mezcla los volovanes, espolvoreándolos por encima con un poco de cebollino. Sírvelos templados.

Si haces las pechugas en el microondas, vigila bien los tiempos, para que no se queden excesivamente secas.

Para la salsa necesitas 200 ml de nata para cocinar, sal, pimienta molida y dos lonchas de queso cheddar para fundir. Pon todos los ingredientes en un recipiente apto para microondas y déjalos cocer durante 3 minutos a potencia máxima.

Brusquetas ¡Viva Italia!

✓ Caprichos italianos

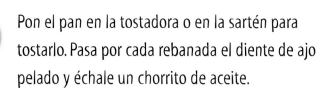

Dificultad:

Tiempo: 8 minutos

Comensales: 4

Necesitas

- 12 rebanadas de pan tipo chapata o de baguette tostadas
- Un poco de aceite
- Un diente de ajo
- 250 g de jamón serrano
- 150 g de mozzarella
- 150 g de queso tipo gouda (de bola)
- 100 g de tomates tipo cherry
- Aceitunas
- Albahaca y orégano

1 Pon el pan en la tostadora o en la sartén para tostarlo. Pasa por cada rebanada el diente de ajo pelado y échale un chorrito de aceite.

2 Coloca encima de los panes el jamón, la mozzarella, el queso y los tomates partidos por la mitad. Decora a tu gusto: con aceitunas, con albahaca, con orégano… o solas.

✓ Cuanto más variados sean los ingredientes que coloques encima del pan, más sabroso y nutritivo resultará este plato.

Nuggets, brochetas, albóndigas, tortillas, hamburguesas... Suena apetitoso, ¿verdad? La mayoría de tus platos preferidos son muy sencillos de preparar: basta con que sigas los paso a paso que te proponemos. ¡Ah! Y también que tengas mucha hambre porque...

¡te chuparás los dedos!

PARTE 2

Platos
principales

Albóndigas con tomate

✓ Más natural, imposible

Dificultad: 🍴🍴🍴

Tiempo: 30 minutos

Comensales: 4

Necesitas

- 400 g de carne picada (de ternera, o bien mitad ternera y mitad cerdo)
- 100 g de pan rallado
- 2 huevos
- Sal, ajo en polvo y perejil
- Un poco de aceite
- Salsa de tomate

La salsa de tomate casera es el mejor complemento para las albóndigas. Tiene menos azúcares añadidos y grasas que las ya preparadas que puedes encontrar en el supermercado.

 1 Mezcla en un bol la carne junto con el pan rallado. Bate los dos huevos y añádelos, junto con la sal, el ajo en polvo y el perejil.

 2 Haz bolitas con la mezcla y ponlas en una bandeja de horno con un poco de aceite por encima.

 3 Mételas en el horno, previamente precalentado a 180 ºC, y déjalas hacer unos 12-15 minutos, hasta que empiecen a dorarse. Resérvalas.

 4 Prepara la salsa de tomate y baña con ella las albóndigas.

¿Has probado añadir esta receta a unos espaguetis? Conseguirás un plato único, delicioso, muy nutritivo y energético.

SALSA DE TOMATE CASERA

Deliciosa y sencilla, esta salsa combina bien con un montón de platos, como es el caso de las albóndigas. Necesitas 4-5 tomates maduros (también puedes usar una lata de tomate natural triturado); un poco de aceite de oliva, dos dientes de ajo, sal y albahaca en polvo. Pon a calentar un poquito de aceite; añade los ajos y, después, el tomate. Remueve todo con la ayuda de una cuchara de madera; añade la sal y deja hacer a fuego suave aproximadamente 10 minutos. Cuando falten 2 minutos para el final, añade la albahaca. ¡Para chuparse los dedos!

✔ Si metes el aceite en un envase con spray rociarás las albóndigas de forma más uniforme y, también, muy divertida.

Arroz a la cubana

✓ Un combinado completo, sabroso y muy exótico

Dificultad: 🍴🍴🍴🍴

Tiempo: **35 minutos**

Comensales: **4**

Necesitas

- 200 g de arroz
- Sal
- Aceite
- 2 plátanos grandes
- 4 huevos
- 200 g de tomate frito (un *brick*)

 Haz el arroz. Para ello, pon al fuego tres tazas de agua con sal y un poquito de aceite y, cuando hierva, añade una taza de arroz. Baja un poco el fuego y deja que se haga (el arroz está listo cuando ha absorbido totalmente el agua, es decir, tras unos 20 minutos).

 Pela los plátanos y pártelos longitudinalmente en dos. Con la ayuda de un adulto, pon un poco de aceite en el fuego y, cuando esté caliente, pon los plátanos a freír, dándoles la vuelta para que se vayan dorando por los dos lados.

 En el mismo aceite, y siempre con la ayuda de un adulto, fríe los huevos.

 Calienta el tomate frito en un recipiente apto para microondas y repártelo por encima del arroz.

Se trata de una versión «adaptada» de un plato típico de la cocina caribeña que suele incorporar también carne mechada y, en ocasiones, frijoles.

¿Quieres darle un toque gracioso y original a tu plato? Sustituye los huevos de gallina por los de codorniz, mucho más pequeños pero igual de sabrosos cuando se preparan fritos.

Macarrones con queso

✓ Una receta universal

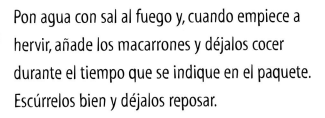

Dificultad:

Tiempo: 15 minutos

Comensales: 4

Necesitas

- 300 g de macarrones
- Una tarrina de queso tipo ricotta (o requesón)
- Un poco de mantequilla
- Nuez moscada en polvo
- Queso para gratinar
- Unas hojas de albahaca

1 Pon agua con sal al fuego y, cuando empiece a hervir, añade los macarrones y déjalos cocer durante el tiempo que se indique en el paquete. Escúrrelos bien y déjalos reposar.

2 Con la ayuda de un adulto, pon a derretir la mantequilla a fuego suave y añade el queso, removiendo en todo momento. Añádele un poquito de nuez moscada.

3 Pon los macarrones en una fuente apta para microondas; báñalos con la salsa de queso y espolvorea un poco de queso para gratinar y métela en el horno durante un par de minutos. Si quieres, adorna con unas hojitas de albahaca.

Si eres fan de la pasta con tomate, haz la receta sustituyendo media tarrina de queso por 100 ml de tomate frito. La mezcla del queso con el tomate no te defraudará.

Si la salsa de queso queda muy espesa, puedes añadirle un poquito del agua en la que has cocido los macarrones.

EL TOQUE EXÓTICO

La nuez moscada es una especia de sabor dulce y suave, además de muy aromática. Es un ingrediente habitual de la bechamel y las salsas de queso, como la de esta receta, ya que potencia el sabor. Se trata de un ingrediente muy utilizado en la cocina china, india y africana, formando parte de platos tanto salados como dulces. La puedes encontrar entera (tendrás que rallarla) o molida.

Muchas personas cometen el error de «refrescar» la pasta al escurrirla, echándole un chorro de agua fría. Con ello, lo único que se consigue es reducir su cantidad de sal y eliminar el sabor.

Más rápido todavía: haz la receta con salchichas Frankfurt. Pártelas en tres trozos y ponlas en el microondas a potencia máxima durante aproximadamente un minuto. Acompáñalas de las patatas rebozadas.

¿LO SABÍAS?

Las salchichas se elaboran con carnes de distintos tipos: cerdo, ternera, ave... La carne se pica en mayor o menor medida, según vaya a ser el tipo de salchicha resultante, y se introduce en una envoltura que actualmente está hecha a base de colágeno u otro material, pero que antiguamente era la piel del intestino del animal.

Bocaditos de salchicha con patatas rebozadas

✓ Una combinación muy nutritiva

Dificultad: 🍴🍴🍴

Tiempo: 20 minutos

Comensales: 8

1 Corta las salchichas en trozos de aproximadamente 5 cm. Colócalas en una fuente para horno y rocía todas con un chorrito de aceite y una pizca de sal.

2 Déjalas hacer unos 5-8 minutos, hasta que estén doradas. Sácalas y reserva.

3 Con la ayuda de un adulto, corta las patatas en rodajas de más o menos 1 cm. Échales sal y ponlas unos 5 minutos al horno, para que se hagan un poco, pero sin deshacerse. Sácalas y deja que se enfríen.

4 Una vez frías, pon un poco de aceite en una sartén y pasa cada rodaja por harina, después por huevo y luego por harina otra vez, y ponlas a freír hasta que estén doradas.

Las salchichas son un alimento que siempre apetece y que se puede preparar de distintas formas: fritas, asadas, cocidas…

Dale a esta receta un toque distinto «pintando» cada trocito de salchicha con un poco de tomate frito en la punta.

«Crostinis» con jamón

✓ Como en la «trattoria»

Dificultad:

Tiempo: 5 minutos

Comensales: 4

 Corta en dos las minichapatas y pon encima de cada mitad una loncha de queso.

 Métatelas en el microondas durante aproximadamente un minuto, hasta que el queso empiece a fundirse.

Necesitas

- 4 minichapatas
- 8 lonchas de queso para fundir
- 250 g de jamón serrano
- Un tomate
- Sal y orégano

3 Pon encima de cada mitad una rodaja de tomate, una loncha de jamón y espolvorea con sal y un poquito de orégano.

Esta receta admite muchas variantes. Pon sobre la base de queso fundido lonchas de pavo, de pollo u otro tipo de fiambre. ¡Deja volar tu imaginación!

¿No tienes chapatas en casa? Sustitúyelas por pan de molde, pero deja fundir menos tiempo el queso y recuerda que en este caso el resultado no será tan crujiente.

¿SABÍAS QUE...

Pese a su nombre, la tortilla francesa tiene su origen en España, y más concretamente en la provincia de Cádiz. Durante el asedio al que la población de esta ciudad se vio sometida en 1810 por parte del ejército francés, y ante la escasez de alimentos tan básicos como la patata o la cebolla, los gaditanos hicieron su propia versión de la tortilla española: la elaboraron de forma similar, pero con un único ingrediente: huevos. ¿El nombre? No podía ser otro: «tortilla a la francesa».

Para potenciar el sabor, sustituye el jamón de York por taquitos de jamón serrano.

Tortilla a la francesa
con jamón y ensalada

✓ Combina bien con todo

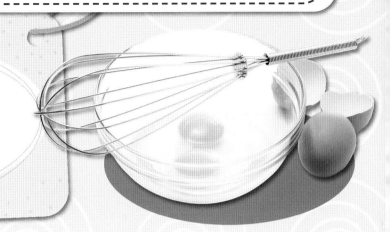

Dificultad: 🍴🍴

Tiempo: 8 minutos

Comensales: 4

1 Bate bien los huevos con la ayuda de unas varillas o de un tenedor. Añade una pizca de sal. Pon unas gotitas de aceite en una sartén antiadherente.

2 Echa los huevos en la sartén y aproximadamente un minuto después incorpora el jamón troceado. Cuando el huevo empiece a estar cuajado, y con la punta de un tenedor, dobla la tortilla en dos y dale la vuelta.

3 Déjala hacer un minuto por el otro lado y retírala de la sartén. Sírvela acompañada de una ensalada mixta.

Necesitas

- 4 huevos
- Sal
- Aceite de oliva
- 100 g de jamón de York
- Lechugas variadas
- 2 tomates

Limita la cantidad de aceite a unas gotitas, para evitar que la tortilla salga muy grasienta y aceitosa.

La ensalada mixta es la más habitual, pero no hay una receta única, sino que admite casi tantas modalidades como personas la preparan. La que te recomendamos aquí es la más básica, elaborada con tomate y lechuga. Lava bien las lechugas y trocéalas; lava el tomate y pártelo en cuatro o en rodajas, como prefieras. Aliña toda la mezcla con un chorrito de aceite de oliva y sal (puedes añadir un toque de vinagre si te gusta).

«Pizza» roja

✓ ¡No te podrás resistir!

Dificultad:

Tiempo: 30 minutos

Comensales: 3

Necesitas

- Base para «pizza» congelada
- 100 g de salami cortado en finas lonchas
- Una cebolla cortada en rodajas finitas
- Un envase pequeño de tomate frito y carne de pimiento rojo
- 150 g de queso mozarella
- Un tomate en rodajas

1 Lo primero es la base de la «pizza». Lo más fácil y rápido es comprarla ya hecha.

2 Pon sobre la base el tomate frito, las rodajas muy finitas de cebolla, el tomate cortado en lonchas y un poco de crema de pimiento rojo.

3 Pon encima la mozarella y las rodajas de salami. Con ayuda de papá o mamá, hornea a unos 180 ºC hasta que se dore a tu gusto.

¿A quién no le gusta una *pizza*? Además, es un plato en el que puedes dar rienda suelta a tu creatividad… ¡Prueba a poner tus propios ingredientes!

Las bases de «pizza» ya hechas se suelen vender congeladas. Recuerda sacarla del congelador unas horas antes de empezar a hacer tu receta y deja que se descongele a temperatura ambiente.

RECUERDA

Las tres reglas de oro para hacer una «pizza» perfecta son:
1. Disponer de una buena masa o base.
2. Elegir ingredientes sabrosos.
3. Hornear a temperatura elevada.

Si quieres que los «nuggets» salgan aún más esponjosos, echa un chorrito de leche al huevo batido.

SALSA TÁRTARA FÁCIL

Los «nuggets» combinan muy bien con todo tipo de salsas: barbacoa, agridulce, bearnesa... Prueba con esta: mezcla en un bo[...] una taza de mayonesa, una cucharada de alcaparras, cuatro pepinillos en vinagre troceados, una cucharada de cebolleta picada y un poco de perejil. Acompaña los «nuggets» y las patatas con esta salsa. ¡Te sorprenderá!

«Nuggets» caseros de pollo

✓ ¡Mejor que en el restaurante!

con salsa

Dificultad:

Tiempo: **15 minutos**

Comensales: **4**

 1 Echa la sal y el ajo en polvo sobre los trocitos de pechuga; mientras, y con la ayuda de un adulto, pon a calentar aceite en una sartén, a fuego medio. Bate los dos huevos.

 2 Pasa cada uno de los trozos primero por harina, después por el huevo y por último por el pan rallado; déjalos hacer hasta que adquieran un tono dorado.

 3 Mientras, en la freidora, ve haciendo las patatas (pide a un adulto que las meta y las saque cuando estén listas). Sirve las patatas junto a los «nuggets» y acompáñalos con la salsa.

Necesitas

- Sal
- Ajo en polvo
- 500 g de pechugas de pollo (cortadas en trozos de 3 cm, aproximadamente)
- Aceite
- 2 huevos
- 100 g de harina
- 100 g de pan rallado
- 2 patatas grandes cortadas en tiras

Para darle un toque aún más delicioso, mezcla el pan rallado con un poco de queso parmesano.

Para eliminar el exceso de aceite, cuando saques los «nuggets» de la sartén colócalos en un plato forrado con papel de cocina.

Sándwich frío

✓ Sano, fácil de hacer y económico

Dificultad:

Tiempo: **5 minutos**

Comensales: **4**

Necesitas

- 4 panecillos con sésamo
- 4 lonchas finas de jamón de York
- 4 lonchas de queso para sándwich
- Un poco de lechuga cortada en juliana
- 2 tomates cortados en rodajas
- Aceitunas rellenas de pimiento

 1 Corta los panecillos por la mitad.

 2 Pon dentro del pan una loncha de jamón y otra de queso. Si quieres, puedes añadir unas rodajas de tomate.

 3 Puedes adornarlo introduciendo dos aceitunas rellenas de pimiento y unas hojitas de lechuga. Prueba también a añadir un trocito de apio…

Triunfa con un clásico facilísimo de hacer y sano, sano, sano… Es una cena ligera que admite gran variedad de ingredientes: puedes añadir mayonesa, rodajas de tomate, huevo cocido, espárragos, atún…

¡Solo tienes que usar tu imaginación de chef!

Si lo haces con pan de molde y lo cortas en triangulitos, pueden servir como aperitivo. Saben mucho mejor haciéndolos un día antes y guardándolos en la nevera en un recipiente de plástico.

HACER LA CARNE

Prepara la carne de la siguiente manera: con la ayuda de un adulto, pon el aceite en una cazuela y, cuando esté caliente, añade la cebolla y el tomate frito. Cuando vaya tomando color, incorpora la carne picada mezclándolo todo muy bien con una cuchara de madera. Sazona y deja hacer a fuego suave durante unos 10 minutos. Es importante que no quede muy líquida, para que te resulte más fácil rellenar después las patatas.

Para saber si las patatas están ya cocidas, pínchalas con un palillo. Si compruebas que ya están tiernas, retíralas del fuego.

Patatas rellenas de carne

✓ Una sorpresa «bomba»

Dificultad: ♟♟♟

Tiempo: 45 minutos

Comensales: 8

1 Cuece las patatas (con su piel) en agua con sal. Una vez cocidas, quítales la piel sin quemarte y aplástalas con la ayuda de un tenedor (también puedes usar un pasapurés o «chino»). Cuece también uno de los huevos.

2 Bate el otro huevo e incorpóralo, junto con las cucharadas de harina, al puré de patatas. Amasa bien todo el conjunto.

3 Forma una bolita en la mano, ahuecándola y, con la ayuda de una cucharita, rellénala con la carne ya preparada (ver cuadro) mezclada con el huevo cocido.

4 Cierra bien cada bolita y métalas en el horno (precalentado a 180 ºC) durante aproximadamente 10 minutos, hasta que adquieran un tono dorado.

Necesitas

- 4 patatas grandes
- Sal
- 2 huevos
- 4 cucharadas de harina

Para el relleno

- 250 g de carne picada
- 30 g de aceite
- 50 g de cebolla picada
- 100 g de tomate frito
- Sal y pimienta blanca

Además de deliciosa, la carne picada es uno de los platos que da más juego en la cocina: sirve de base a muchas recetas, desde una salsa boloñesa hasta una lasaña o canelones.

Huevos rellenos **con tomate y queso**

✓ «Barquitos» con un rico polizón

Dificultad: 🍴🍴

Tiempo: 15 minutos

Comensales: 4

Necesitas

- 4 huevos
- 250 g (dos latas pequeñas) de atún en aceite
- 250 ml (un *brick*) de tomate frito
- 100 g de queso rallado

 1 Cuece los huevos en abundante agua. Déjalos enfriar. Pártelos en dos mitades y, con una cucharita, quítales la yema.

 2 En un cuenco, mezcla la yema con el atún. Rellena con la mezcla el hueco de los huevos.

 3 Echa por encima el tomate frito y espolvorea el queso rallado.

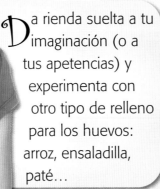

Da rienda suelta a tu imaginación (o a tus apetencias) y experimenta con otro tipo de relleno para los huevos: arroz, ensaladilla, paté…

Los huevos te aportan un cóctel muy importante de nutrientes fundamentales para tu desarrollo. La clara es una excelente fuente de proteínas, mientras que la yema es rica en hierro, ácidos grasos esenciales y vitaminas A y D.

68

TRUCO

La clave es conseguir que tanto la yema como la clara queden lo suficientemente duras. Para ello, cubre los huevos con agua fría y cuécelos 10 minutos a partir de la ebullición (esto es, cuando empiece a hervir). No dejes pasar más tiempo, porque la yema se volverá «verdosa».

riiiiiing   riiiiiing

Pide ayuda a un adulto y mete la mezcla en el microondas, para comerlo en versión caliente y con el queso gratinado. ¡Delicioso!

TRUCO

Esta versión de salsa alioli es muy sencilla de preparar: basta con que añadas el ajo bien triturado en el mortero o el ajo en polvo a la mayonesa y lo mezcles muy bien.

Para rebozar, en vez del pan rallado puedes utilizar galleta picada.

Hamburguesas de pescado con alioli

✓ «Fast food» en versión sana

Dificultad: 🍴🍴🍴

Tiempo: 25 minutos

Comensales: 4

Necesitas

- 600 g de pescado blanco, sin espinas
- 100 g de cebolla picada
- Perejil, aceite y sal
- 2 huevos
- 50 g de pan rallado

Para el alioli

- 100 g de mayonesa
- Ajo en polvo o un ajo grande entero

1 Cuece el pescado en agua fría con sal. Déjalo enfriar y desmenúzalo.

2 Mezcla el pescado con cebolla, perejil y un huevo batido. Deja reposar la mezcla durante 10 minutos aproximadamente en la nevera y, después, haz bolitas con ella y aplástalas después, para darles forma de hamburguesa (salen unas 8).

3 Bate el otro huevo; pasa la hamburguesa por el pan rallado primero, por el huevo después y otra vez por el pan rallado y, con la ayuda de un adulto, fríelas en una sartén con abundante aceite a temperatura media.

¿Qué tal sustituir esa hamburguesa de carne que consumes fuera de casa por esta, mucho más natural y nutritiva? Ponla dentro de pan de hamburguesa y añádele lo mismo que llevan las «prefabricadas»: queso, kétchup, mostaza…

Brochetas
de carne
con verduras y puré de patatas

✓ ¡A la rica barbacoa!

Necesitas

- 250 g de carne de cerdo (cortada como para guisar)
- Un chorrito de aceite
- Sal y perejil picado
- 100 g de pimiento rojo
- 100 g de pimiento verde
- 100 g de pimiento amarillo
- Pinchos o palos de brocheta
- Puré de patata (ver receta)

Dificultad:

Tiempo: 15 minutos

Comensales: 4

1 Pon la carne en un cuenco y sazónala con la sal, el perejil y un poco de aceite.

2 Prepara la brocheta, alternado los trozos de carne con los tres tipos de pimiento.

3 Con la ayuda de un adulto, pon cada brocheta sobre la parrilla y dale la vuelta con frecuencia. Estarán listas en 5-7 minutos.

4 Pon las brochetas sobre un plato y tómalas acompañadas de puré de patata.

Toma parte activa en las barbacoas familiares con esta receta y haz de ella tu especialidad.

Puedes hacer las brochetas con pollo. Para ello, utiliza tres pechugas gruesas y pártelas en trocitos.

También puedes preparar esta receta en tu cocina, haciendo las brochetas en una sartén antiadherente, con un chorrito de aceite para evitar que se peguen.

PURÉ DE PATATAS

Pela cuatro patatas medianas y ponlas a cocer en una olla con agua y un poco de sal durante una media hora. Cuando estén listas, pásalas por un pasapurés o batidora y mézclalas con una cucharada de mantequilla. Mientras, pon medio litro de leche a calentar y, cuando hierva, añádela a las patatas. Comprueba que está en su punto de sal y ¡listo!

Bocaditos de salmón

Necesitas

- 4 panecillos de hamburguesa
- Una tarrina de queso de untar
- 8 lonchas de salmón ahumado
- Un poco de cebolleta o cebolla
- 50 g de alcaparras

Dificultad:

Tiempo: 5 minutos

Comensales: 4

El salmón es una de las fuentes esenciales de ácidos grasos Omega 3, unas sustancias fundamentales para estar sano y poder desarrollar una mayor destreza mental.

 1 Abre los panecillos por la mitad y rellena ambas caras con el queso de untar.

 2 Pon encima de cada panecillo dos lonchas de salmón.

 3 Como toque final, coloca una rodaja de cebolla y unas cuantas alcaparras, y cierra la hamburguesa.

✓ Si quieres una hamburguesa más jugosa, utiliza mayonesa en vez de queso para untar.

Esponjoso, espumoso, crujiente, cremoso, refrescante, reconfortante, dulce... Son solo algunos de los adjetivos que definen los postres y batidos que podrás preparar si sigues las recetas que te ofrecemos a continuación. ¿A que no sabías que la fruta podía resultar tan deliciosa?

¡Ponte manos a la obra!

PARTE 3
Postres y batidos

Ideas, trucos y secretos de «pastelero»

Diviértete y decora tus postres

La elaboración de postres y dulces es una de las facetas más divertidas del arte de cocinar, ya que permite dar rienda suelta a la imaginación y derrochar toda tu creatividad. Pocas tareas culinarias te depararán tantas emociones... ¡y sabores!

1. Tu «equipo» básico

Moldes

De distintas formas y tamaños, para hacer tartas y bizcochos. Redondos, cuadrados, rectangulares, con forma de rosco, bandejas para hornear galletas... Los de silicona tienen la ventaja de que resulta más fácil desmoldar la preparación.

Espátulas de silicona

Son el mejor utensilio para manejar las masas y cremas de la repostería. Permiten aprovechar hasta la última gota y trabajar suavemente algunas texturas.

Cápsulas de papel o moldes para magdalenas

Son recipientes pequeños de papel o de pergamino. Suelen ser blancos o de color crema, pero en las tiendas especializadas los puedes encontrar con diseños más variados (de cumpleaños, de Navidad...).

Cortapastas o moldes para galletas

Fundamentales para dar forma a tus creaciones. Se colocan sobre la masa, se presionan, se retiran y las nuevas figuras se meten en el horno. Así de sencillo es hacer «figuritas».

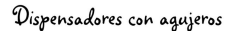

Dispensadores con agujeros

Para esparcir el azúcar normal, el azúcar glas, la canela, el azúcar vainilla, etc., que suelen poner el broche final a muchos postres, lo mejor es tener a mano un azucarero o dispensador perforado en la tapa (puedes comprarlo en tiendas especializadas o reutilizar uno que se haya quedado vacío). Es el secreto para conseguir el «efecto lluvia» característico de muchos dulces.

x

2. Técnicas infalibles

1 Para desmoldar un bizcocho, cúbrelo con un paño nada más sacarlo del horno. Al cabo de 5 minutos, la concentración de vapor habrá hecho que se separe de las paredes del molde, y podrás extraerlo sin dificultad.

2 Para que tus galletas o pastas queden perfectas y no se peguen al hornearlas, sigue estas dos reglas: deposítalas sobre una bandeja forrada con papel vegetal y procura que entre ellas haya la separación suficiente para que, en caso de que el calor altere la forma que les has dado, no se peguen entre sí.

3 La base de galletas es un valor seguro para cualquier tarta que se precie. Para conseguir que las galletas alcancen el nivel de pulverización adecuado, tienes dos opciones: meterlas unos segundos en la batidora o robot a potencia máxima, o introducirlas en una bolsa de plástico y pasar por encima el rodillo de cocina.

3. Trucos con estilo para triunfar

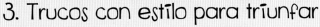

- Los **batidos** y *smoothies* pueden resultar espectaculares si decoras el borde de los vasos con azúcar. Para ello, pon un poco de azúcar (dos cucharadas aproximadamente) en un plato hondo. Moja solo el borde de los vasos con un poco de agua y pásalos después por el azúcar. Se forma una especie de costra alrededor que, además de decorativa, es deliciosa. Prueba a hacerlo también con azúcar moreno.

- Las **pepitas de chocolate** sirven prácticamente para cualquier ocasión. Por ejemplo, para dar vida a unas simples magdalenas (basta con que las insertes estratégicamente), para animar cualquier batido o como *toping* ideal para los helados.

- ¿Has hecho un **bizcocho** y te ha quedado muy «pálido»? Anima su aspecto cubriendo su superficie con una capa generosa de tu mermelada preferida.

- El **coco rallado** es otro estupendo aliado cuando se trata de mejorar el aspecto o añadir «alegría» a los postres. Por ejemplo, camufla a la perfección los bollos o pasteles que se han pasado de tostados y hacen mucho más atractivas unas simples natillas que reposan sin gracia en un cuenco.

- Los **siropes** se podrían definir como «los bolígrafos de los postres». Siempre que se utilicen con un buen dosificador, permiten realizar todo tipo de trazos, dibujos e incluso poner tu firma.

- La **nata montada** en *spray* también ofrece un amplio abanico de posibilidades para decorar tus recetas. Practica primero la forma que quieres dibujar con ella en pasteles pequeños y, cuando domines la técnica, atrévete con preparaciones más grandes (tartas, bizcochos…).

Bocaditos

de crema con moras

✓Minifestival de sabores

Dificultad:

Tiempo: 25 minutos

Comensales: 8

Necesitas

- 12 tartaletas de hojaldre
- 100 g de moras
- 100 g de frambuesas
- Crema de vainilla

Puedes utilizar moras y frambuesas congeladas. Déjalas descongelar unas horas antes de hacer la receta.

1 Limpia muy bien las moras y las frambuesas. Resérvalas.

2 Con la ayuda de una cuchara (si en tu casa hay una manga de pastelero, mucho mejor), rellena cuidadosamente cada una de las tartaletas con la crema de vainilla.

3 Pon encima de la crema las moras y las frambuesas. Mete en la nevera hasta el momento de consumirlas.

Tanto las moras como las frambuesas son bayas, unas frutas que se caracterizan por crecer en los bosques y al lado de los ríos. Por eso también se las conoce como «frutas del bosque».

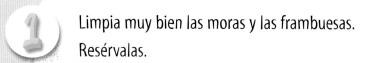

✓ Estas frutas son muy delicadas, así que lo mejor es que las consumas inmediatamente. Solo aguantan uno o dos días en la nevera.

CREMA DE VAINILLA

Para hacer el relleno de estas tartaletas necesitas: 4 yemas de huevo, 120 g de azúcar, medio litro de leche, una ramita de vainilla, 40 g de maicena (harina de maíz), 30 g de mantequilla. Con un batidor de varillas, mezcla las yemas con el azúcar y la maicena. Sin parar de batir, añade poco a poco la leche e incorpora la vainilla. Cuece a fuego lento, sin que llegue a hervir, durante aproximadamente 8 minutos. Retira del fuego, añade la mantequilla y deja reposar.

TRUCO

Esta receta resulta ideal para esas ocasiones en las que ha sobrado bizcocho en tu casa o se ha quedado un poco duro y no sabes muy bien qué hacer con él.

Otra versión: haz la masa con magdalenas. En este caso, tendrás que añadir un poco más de queso, para que la mezcla quede más compacta y homogénea.

Bizcoletas

 Una «golosina» con mucha miga

Dificultad: 🍴🍴

Tiempo: 15 minutos

Comensales: 8

Necesitas

- Un bizcocho típico (de yogur, chocolate, nata)
- 350 g de queso para untar
- Una tableta de chocolate negro y una de chocolate blanco (para fundir)
- Fideos y bolitas de colores para decorar
- Palitos tipo piruleta para insertar las bolitas

 1 Prepara el bizcocho (puedes seguir algunas de las recetas que te damos en este libro o, también, comprar uno ya hecho). Con la ayuda de un tenedor, «rómpelo» hasta que quede bien desmenuzado. Añade el queso y mezcla bien.

 2 Con la masa obtenida, forma pequeñas bolitas y colócalas en una bandeja, que meterás en la nevera para que se enfríen. Mientras, derrite el chocolate negro y el blanco (por separado) en el microondas.

 3 Pincha un palito en cada bolita e introdúcela en el chocolate, asegurándote de que se impregne bien.

 4 Decóralas a tu gusto y déjalas reposar hasta que el chocolate se enfríe.

Esta original golosina admite muchas versiones de decorado: coco, trocitos de almendra, pepitas de chocolate… Atrévete a innovar y sorprende a tus amigos en la próxima fiesta.

Arroz con leche

✓ Como el que hace la abuela

Dificultad: 👨‍🍳👨‍🍳

Tiempo: Una hora

Comensales: 4-6

Necesitas

- Un litro de leche
- 150 g de azúcar
- Una ramita de canela
- La piel de medio limón
- 150 g de arroz
- 4 naranjas
- Canela molida

El arroz con leche es un postre que ya estaba presente en los antiguos recetarios españoles. Es también un postre muy típico en países europeos como Irlanda y Reino Unido, donde reciben el nombre de «Rice pudding».

1 Pon a cocer la leche, a fuego medio, en una cazuela honda, junto con el azúcar, la canela y la piel del limón. Espera a que hierva y, pasados 5 minutos, añade todo el arroz.

2 Baja el fuego y deja cocer la mezcla entre 40 y 45 minutos, removiendo constantemente con una cuchara de madera.

3 Pasado este tiempo, retira del fuego y quítale la piel del limón y la canela. Déjalo enfriar mientras le pides ayuda a un adulto para que te ayude a vaciar las naranjas.

4 Rellena las naranjas con el arroz con leche y espolvorea con canela molida.

✓ ¿Quieres darle un toque original? Ponle por encima una capa de tu mermelada preferida. Con la de fresa y frambuesa está delicioso.

TRUCO

Esta receta es ideal para poner en marcha un auténtico maratón de trabajo en equipo con tus hermanos o amigos. Como hay que mover el arroz constantemente, podéis establecer turnos y cronometraros. Así, la preparación será más divertida y tendréis la sensación de que habéis preparado el postre entre todos.

Bocaditos de manzana

✓ Dulce y tierno rebozado

Dificultad:

Tiempo: 15 minutos

Comensales: 4-6

Necesitas

- 6 manzanas Golden
- 2 huevos
- 200 g de azúcar
- 50 g de mantequilla
- 50 ml de zumo de manzana (un *brick* pequeño)
- Canela molida

 Mientras se calienta el horno (a 220 ºC), pela las manzanas y quítales el corazón. Bate los huevos.

 Parte las manzanas en cuatro trozos y luego parte cada trozo por la mitad. Pasa cada trozo por huevo y luego rebózalo en azúcar.

 Ve colocando los trozos de manzana en una fuente para horno forrada con papel vegetal y pon pequeños trozos de mantequilla en los huecos que quedan entre ellos.

 Rocía todo con el zumo de manzana y déjalo hacer durante aproximadamente 8 minutos (hasta que adquieran un tono dorado). Espolvorea con canela antes de servir.

Potencia el sabor de esta receta mezclando el azúcar normal con azúcar moreno o azúcar de vainilla.

Hay muchas variedades de manzanas. La Golden, utilizada en esta receta, se caracteriza por tener una piel amarillo-verdosa, con puntitos oscuros. Por dentro es jugosa, dulce y aromática, por lo que resulta estupenda para la elaboración de postres.

Fresas con nata

✓ Un clásico que siempre apetece

Necesitas

- 500 g de fresas o de fresones
- 500 ml de nata para montar
- 200 g de azúcar

Dificultad: 🍴

Tiempo: 7 minutos

Comensales: 4

Más fácil todavía: evita el paso de montar la nata utilizando nata ya montada, que se aplica en <<spray>>.

 1 Lava muy bien las fresas con agua abundante y quítales las hojas. Repártelas en cuatro recipientes individuales.

 2 Pon la nata en un recipiente, añade un poco de azúcar y, con la ayuda de una batidora, bátela a medida que vas incorporando poco a poco más azúcar.

 3 Cuando la nata ya esté montada, añádela a las fresas. Puedes espolvorear un poco de azúcar por encima.

La fresa es una fruta ligera y nutritiva. Aporta proteínas, carbohidratos y es muy rica en vitamina C, una auténtica aliada frente a gripes y catarros.

Añade a las fresas un puñado de frutas del bosque... ¡Delicioso!

Para darle un toque original a este postre, puedes coronar la nata con un chorrito de sirope de chocolate o caramelo.

TRUCO

Para que la nata quede bien montada, asegúrate de que esté muy fría. Para ello, mantenla en la nevera hasta el momento de prepararla. El truco para saber cuándo hay que dejar de batir es darle la vuelta al recipiente: si la nata está en su punto, no se caerá. Pero no la batas en exceso, ya que puede convertirse en una especie de mantequilla.

TRUCO

A partir de la gelatina se pueden elaborar muchos postres. Uno de los más típicos consiste en mezclarla con fruta fresca pero ¡ojo!: no hagas la mezcla con frutas tropicales (piña, mango, papaya, kiwi) porque con ellas no cuaja.

La gelatina de sabores se prepara disolviendo el contenido del sobre en 250 ml de agua hirviendo (pide la ayuda de un adulto); remueve hasta que esté totalmente disuelta y añade entonces otros 250 ml de agua, esta vez fría. ¡Ya está!

Semáforo de gelatina

✓ Paso libre a la diversión

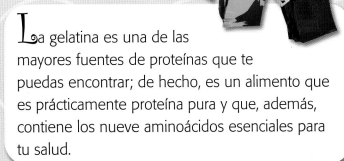

Dificultad:

Tiempo: 10 minutos*

Comensales: 12

*Sin contar el tiempo que pasa la gelatina en la nevera.

Necesitas

- Un sobre de gelatina de kiwi
- Un sobre de gelatina de naranja
- Un sobre de gelatina de fresa
- Galletas tipo barquillo
- Gominolas
- Moldes tipo flanera

1 Prepara las tres gelatinas y viértelas en los moldes.

2 Mete los moldes con las gelatinas en la nevera y déjalas enfriar hasta que cuajen (de 2 a 4 horas).

3 Desmolda con los moldes boca abajo; pon encima de cada gelatina una galleta y, encima de esta, una gominola.

El truco más efectivo para desmoldar la gelatina sin que se rompa y salga con la forma deseada es sumergir los moldes en agua caliente y, después, invertirlos sobre un plato.

La gelatina es una de las mayores fuentes de proteínas que te puedas encontrar; de hecho, es un alimento que es prácticamente proteína pura y que, además, contiene los nueve aminoácidos esenciales para tu salud.

Yogur con frutos rojos y muesli

✓ El mejor desayuno

Necesitas

- Un litro de yogur natural líquido
- 100 g de fresas
- 100 g de frutos del bosque
- 250 g de cereales (muesli, corn-flakes...)

Dificultad: 🍴

Tiempo: 3 minutos

Comensales: 4

Si quieres más sabor, utiliza yogur líquido de fresa, plátano, macedonia...

1 En un bol grande, pon el contenido de la botella de yogur líquido.

2 Incorpora las fresas, partidas en dos, y los frutos del bosque. Remueve bien.

3 Echa por encima los cereales y mézclalos ligeramente con la fruta.

Los frutos del bosque son un tipo de frutas, las bayas, que suponen una fuente extraordinaria de vitamina C, la cual, además de ser un poderoso antioxidante, interviene en la formación de colágeno, huesos, dientes y glóbulos rojos. También contienen pectina, un tipo de fibra que ayuda a regular el tránsito intestinal y a disminuir el nivel de colesterol.

Brochetas de fruta

✓ Macedonia en versión rápida

Dificultad:

Tiempo: 8 minutos

Comensales: 8

1 Lava muy bien toda la fruta. Parte las fresas en dos; pela los kiwis y pártelos en rodajas; divide las rodajas de piña en ocho trozos; pela el mango y córtalo en trocitos pequeños.

2 Clava los trozos de fruta, alternándolos, en los palitos de brocheta, mezclando los sabores a tu gusto.

3 Pon todas las brochetas en un plato y rocíalas con un poco de sirope de chocolate.

Añade o sustituye las frutas que quieras. Si, por ejemplo, no encuentras mango, utiliza melón o sandía.

Necesitas

- 100 g de fresas
- 100 g de kiwis
- 4 rodajas de piña en almíbar (de lata)
- Un mango grande
- Sirope de chocolate
- Palitos para hacer mini brochetas

Para hacer una versión más «consistente» de este estupendo postre, acompáñalo de un poco de nata montada. Seguro que repetirás.

93

Bolitas de melón y sandía

✓ Facilísimo y muy refrescante

Dificultad: 🍴

Tiempo: 7 minutos

Comensales: 8

Necesitas

- Un melón pequeño
- Una sandía pequeña (la variedad sin pepitas)
- 50 g de azúcar
- Un sacabolas

Tanto el melón como la sandía son las dos frutas más hidratantes que existen. El melón se compone casi en un 90% de agua y, además, aporta potasio, fósforo y vitaminas A y C. La sandía le gana en lo que a contenido de agua se refiere: un 98%. También es una buena fuente de vitaminas A, C y del grupo B.

1 Parte el melón en dos y, con la ayuda del sacabolas, extrae todas las bolitas que puedas. Trabaja solo la pulpa de la fruta, sin las pepitas. Haz lo mismo con la sandía.

2 Distribuye en un plato las bolitas, alternando una de melón y otra de sandía.

3 Espolvorea todo el conjunto con el azúcar y tómalo lo más frío posible.

Para potenciar el efecto refrescante, mete las bolitas en el congelador unos minutos antes de comerlas. ¡Ideales para saciar la sed al volver de la playa o la piscina!

TRUCO

El sacabolas o cuchara parisina es un tipo de utensilio de cocina que tiene la finalidad de vaciar o extraer bolas de distintos alimentos: frutas, patatas, verduras, mantequilla... También resulta muy útil para hacer otras tareas culinarias como, por ejemplo, descorazonar manzanas. Se compra en grandes superficies y tiendas especializadas.

✓ Haz más nutritiva y refrescante esta receta rociando las bolitas con un poco de zumo de naranja.

Tanto los batidos como los smoothies deben consumirse cuanto antes, para que no se pongan «negros» ni pierdan sus propiedades.

NO ES LO MISMO

Los smoothies se diferencian de los batidos en que se elaboran con fruta congelada y SIEMPRE incorporan lácteos (leche, yogur, helado) en bastante cantidad (los batidos de fruta no siempre se hacen con leche y sus derivados). Por ello, su consistencia es más densa y cremosa. Se encuentran a medio camino entre un helado y un batido típico.

Smoothie de plátano

✓ Fruta en versión crema

Dificultad:

Tiempo: **5 minutos***

Comensales: **4**

* Más las 2 horas en el congelador.

Necesitas

- 2 plátanos maduros
- 300 ml de leche
- 2 cucharadas de azúcar
- Una cucharadita de canela
- Hojas de menta para decorar

 1 Pela los plátanos y córtalos en rodajas del mismo tamaño. Métlas en el congelador durante aproximadamente unas 2 horas.

 2 Pasado este tiempo, pon las rodajas en la batidora y añade la leche, el azúcar y la canela.

 3 Bátelo muy bien, hasta asegurarte de que no queda ningún grumo. Sirve en vasos altos y decora cada uno con una rodajita de plátano y con una hojita de menta.

Otra versión de los smoothies: utiliza yogur líquido (sabor natural) en vez de leche. ¡Verás que cremoso sale!

Puedes sustituir la leche por helado de nata. En este caso, no hace falta que congeles los plátanos: mézclalos en la batidora con el helado.

Batido de fresa
con menta

✓ Tonificante y muy sano

Necesitas

- 300 g de fresas o fresones
- 200 ml de leche
- 50 g de azúcar blanco
- 30 g de azúcar de vainilla
- Hojas de menta

Dificultad:

Tiempo: 5 minutos

Comensales: 4

Si ves que han quedado muchas pepitas de fresa, cuela el batido antes de beberlo.

 1 Limpia cuidadosamente las fresas; quítales muy bien el tallo; corta cada una en cuatro trozos y mételas en la batidora.

 2 Incorpora la leche y los dos tipos de azúcar. Bate bien durante aproximadamente 30 segundos, hasta que las fresas estén totalmente fusionadas con la leche.

 3 Pon el batido en cuatro vasos altos; elige las hojas de menta más bonitas y decora con ellas y con alguna fresa entera los batidos.

Recuerda que los batidos, especialmente los de frutas, deben consumirse cuanto antes, para disfrutar así de todo su sabor y evitar que pierdan sus propiedades nutricionales.

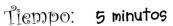

¡RECUERDA!

Las fresas no solo se toman en el postre, sino que pueden formar parte de un estupendo desayuno cargado de vitaminas y antioxidantes como este: zumo de naranja, copos de avena y germen de trigo con pasas, yogur natural desnatado, tostada integral con margarina vegetal y un cuenco de fresas frescas.

✓ Si quieres darle a este batido un toque más festivo, sustituye las hojas de menta por pepitas de chocolate o fideos de colores.

Cóctel verde

✓ Sabor oriental

Dificultad:

Tiempo: **5 minutos**

Comensales: **4**

Necesitas

- 250 g de kiwis
- 100 g de lichis
- Un yogur natural
- Cubitos de hielo
- 50 g de frutas variadas (fresas, melocotón en almíbar…) para decorar
- Palillos

1 Pela los kiwis y pártelos en rodajas. Pela también los lichis y córtalos en dos.

2 Pon la fruta y el yogur en la batidora y mézclalo bien, hasta obtener una mezcla homogénea.

3 Añade unos cubitos de hielo y decóralo con una mini brocheta de frutas.

El kiwi combina muy bien con otras frutas como el plátano y la manzana. Úsalo siempre que quieras dar un toque de color a tus recetas de fruta.

El lichi o litchi, también llamado aki o «fruto del diablo», se cultiva en China desde hace más de 3.000 años. En este país era tan apreciado que algunos monarcas dejaban que sus súbditos pagasen sus impuestos con esta fruta. En la actualidad, se regala a los parientes y amigos en el día de Año Nuevo chino, como deseo de buena suerte. Tiene un sabor muy dulce y exótico y añade un original toque de color a postres, batidos y ensaladas.

Batido de frutos rojos

✓ Vitaminas y sabor a raudales

Dificultad: 🍴

Tiempo: 6 minutos

Comensales: 4

Necesitas

- 150 g de frutos rojos (frutas del bosque) congelados
- 150 g de barra de helado de nata
- 200 g de leche desnatada
- 2 cucharadas soperas de azúcar glas

El batido de frutos rojos es una receta muy popular en el Reino Unido, donde abundan este tipo de frutas.

Hoy en día, es muy fácil de conseguir todo tipo de frutos rojos en cualquier frutería o tienda de congelados y con ellos se pueden preparar recetas tan sencillas y sabrosas como este *smoothie*…

1 Se ponen 3/4 partes de los frutos rojos congelados en un bol y el resto se devuelve al congelador para que conserve su temperatura.

2 Los frutos rojos del bol se trituran junto con el helado de nata y la leche desnatada hasta obtener la consistencia y la textura de un batido.

3 Por otro lado, se saca el resto de frutas del bosque del congelador y se rebozan bien con el azúcar glas.

4 Se reparte el batido en vasos o copas y se decora con los frutos rojos helados y azucarados.

✓ Para un toque distinto, añade unas galletas tipo Digestive o María al batido. ¡Ya verás qué rico!

TRUCO

Si hace mucho calor y quieres obtener un batido más fresco, solo hay que poner los vasos o las copas en las que vas a servir el batido en el congelador durante un rato antes de rellenarlas; además de conservar más el frío, da un aspecto muy decorativo.

Batido de chocolate

✓ ¡Todo un clásico!

Necesitas

- 8 galletas tipo María
- Galletas tipo barquillo para acompañar
- 250 g de cacao en polvo
- 100 g de azúcar
- Un litro de leche
- Azúcar de vainilla

Dificultad:
Tiempo: 3 minutos
Comensales: 4

Este batido se puede tomar tanto frío (con unos cubitos de hielo en verano resultará delicioso y muy refrescante) como caliente (una merienda reconfortante en los días más fríos del año).

 1 Pon las galletas, el cacao y el azúcar en una batidora o robot de cocina (pide a un adulto que te ayude).

 2 Riega todo con el litro de leche. Bátelo bien, hasta que las galletas queden totalmente pulverizadas.

 3 Reparte el batido en cuatro vasos de 250 ml cada uno. Espolvorea el azúcar de vainilla.

✓ Otra versión de este batido se obtiene añadiendo a la mezcla un par de plátanos cortados en rodajas.

Cumpleaños, Navidad, Halloween, un partido de fútbol que ha salido redondo, el inicio de las vacaciones de verano, unas notas estupendas... Son muchas las ocasiones que merecen celebrarse por todo lo alto. Y no hay celebración que se precie sin una tarta o postre especial.

¡Únete a la fiesta!

PARTE 4

Recetas
de fiesta

Muffins tela de araña

✓ ¡Atrapados en su sabor!

Dificultad:

Tiempo: 25 minutos

Comensales: 8

Necesitas

- 250 g de azúcar
- 4 huevos
- 250 g de aceite de girasol
- 250 g de harina
- Un sobre de levadura en polvo
- Moldes para magdalenas
- Sirope de chocolate

Para el glaseado:

- 2 claras de huevo
- 2 cucharaditas de zumo de limón
- 330 g de azúcar glas

 1 Pon el horno a calentar a 180 ºC. Mezcla el azúcar con los huevos con la ayuda de unas varillas.

 2 Sin dejar de remover, echa poco a poco el aceite y, finalmente, la harina y la levadura.

 3 Rellena los moldes de magdalenas hasta la mitad y ponlas en el horno durante aproximadamente 15 minutos.

 4 Sácalas del horno y déjalas enfriar. Cubre después con el glaseado; espera unos minutos a que esté bien solidificado y, por último, dibuja la tela de araña con el sirope de chocolate.

Prueba a sustituir los clásicos caramelos del «truco o trato» de Halloween por esta deliciosa sorpresa.

Si añades colorantes a la receta del glaseado, obtendrás unas telarañas multicolores.

Si quieres hacer una versión mini, compra moldes para trufas. En este caso, hornéalas durante menos tiempo, para evitar que se endurezcan.

AL RICO GLASEADO

El glaseado supone el remate ideal de pastelillos, galletas y otros postres. Es muy sencillo de elaborar: bate las claras a punto de nieve junto con el zumo de limón. Añade poco a poco el azúcar y mézclalo bien. ¡Listo para decorar cualquier dulce!

Si quieres un «brownie» más esponjoso, añade un par de huevos a la receta

TRUCO

Muele las nueces antes de incorporarlas a la mezcla si te gustan más camufladas. También puedes incorporar otros frutos secos, como por ejemplo almendras molidas.

TUMBAS de chocolate

✓ ¿Quién dijo miedo?

Dificultad: 🍴🍴

Tiempo: 40 minutos

Comensales: 8

Necesitas

- 300 g de chocolate para fundir
- 150 g de azúcar
- 2 huevos
- 80 g de mantequilla
- 70 g de harina
- 150 g de nueces troceadas
- 200 g de galletas de chocolate
- Artículos típicos de Halloween para decorar

 Precalienta el horno a 180 ºC. Mientras, mete el chocolate en la batidora y trocéalo.

 En un bol, incorpora el azúcar y los huevos. Mézclalos bien con la ayuda de una batidora. Añade el chocolate y la mantequilla a temperatura ambiente y mezcla de nuevo. Por último, incorpora la harina.

 Vierte la mezcla junto a las nueces en un molde de bizcochos (preferiblemente rectangular, ya que así te será más fácil cortar los triangulitos de las «tumbas») y ponlo en el horno durante unos 25 minutos.

 Deja enfriar y coloca los triángulos de «brownie» en un plato o fuente recubierto con las galletas de chocolate machacadas. Decora con los artículos de Halloween.

El origen del exquisito *brownie*, que es el pastel a partir del cual se elaboran estas «tumbas», está en un despiste de un pastelero: al cocinar un bizcocho de chocolate, se le olvidó echar harina. ¿El resultado? Un postre exquisito conocido en todo el mundo.

Puedes sustituir el chocolate para fundir por la misma cantidad de cacao en polvo.

Mordisquitos de chocolate

✓ Un Halloween de dulce

Dificultad: 🍴🍴🍴

Tiempo: 45 minutos

Comensales: 8

Necesitas

- 4 huevos
- 200 g de azúcar
- 170 g de chocolate en polvo
- 80 g de mantequilla
- 75 g de harina
- Un sobre de levadura
- 300 g de chocolate para fundir (para la cobertura)
- Glaseado (ver receta «Muffins tela de araña»)

Puedes utilizar este bizcocho de chocolate como receta base para cualquier otra celebración. Admite muchos tipos de variaciones e incluso puedes probar a rellenarlo con nata, crema de vainilla o de chocolate…

 1 Precalienta el horno a 180 ºC. Mientras, en un cuenco, mezcla los huevos con el azúcar y bate bien con un batidor de varillas. Incorpora el chocolate en polvo y la mantequilla a temperatura ambiente.

 2 Añade la harina y la levadura. Bate intensamente. Coloca el pastel en un molde e introdúcelo en el horno durante aproximadamente 30 minutos.

 3 Sácalo del horno y déjalo enfriar. Mientras, funde el chocolate en el microondas y prepara el glaseado.

 4 Corta el bizcocho en trozos y cubre cada trozo con el chocolate fundido. Cuando esté frío, echa por encima un poco de glaseado.

Compra caramelos con forma de calabaza y utilízalos para dar un toque final a cada uno de los pasteles.

MUCHO MÁS QUE CALABAZAS

Aunque se ha extendido por todo el mundo, la fiesta de Halloween es típica de los países anglosajones y se celebra la noche del día 31 de octubre. En esa noche, en la que las calabazas son las auténticas protagonistas, los niños y niñas se disfrazan y visitan las casas de su vecindario pidiendo caramelos y chucherías bajo la consigna de «¿Truco o trato?».

Puedes sustituir el glaseado por mermelada de frambuesa. El resultado será... terroríficamente bueno.

Cupcakes de MUERTE

✓ Sustos con mucho color

Dificultad:

Tiempo: **25 minutos**

Comensales: **8**

1 Precalienta el horno a 180 ºC. Mientras, en un cuenco, mezcla los huevos con el azúcar. Añade el aceite, el zumo y la ralladura de naranja y, finalmente, la harina con la levadura.

2 Rellena un poco menos de la mitad de los moldes para cupcakes (la clave es que estos pastelitos queden planos); ponlos en una bandeja y métalas en el horno durante unos 15 minutos.

3 Saca la bandeja del horno y deja enfriar. Prepara el glaseado (explicado en la receta «Muffins tela de araña»), incorporándole el colorante naranja.

4 Echa el glaseado por encima de los pastelillos y, cuando esté solidificado, decora por encima con las figuritas de Halloween o las chucherías.

Disfruta de estos pastelitos durante todo el año sustituyendo los motivos de Halloween por adornos de avellanas, chocolate, etc.

ARAÑAS de chocolate

✓ Las parientes más dulces del Hombre Araña

Necesitas

- 2 huevos
- 200 g de azúcar
- 150 g de leche
- 140 g de mantequilla
- 3 cucharadas de chocolate en polvo
- 230 g de harina
- Medio sobre de levadura
- Moldes de magdalenas
- Fideos de chocolate
- Grageas de chocolate de colores y tiras de regaliz

Dificultad:

Tiempo: 20 minutos

Comensales: 8

 1 Pon el horno a calentar a 220 ºC y, mientras, mete en la batidora los huevos y el azúcar. Añade la leche, la mantequilla y el chocolate, y vuelve a batir. Por último, echa la harina y la levadura, y bate todo durante unos segundos.

 2 Con la ayuda de una cuchara, ve rellenando los moldes de magdalena. Pon por encima los fideos de chocolate y mete en el horno durante unos 8 minutos (hasta que veas que las magdalenas llegan al borde del molde).

 3 Deja enfriar y pon encima de cada una dos grageas de chocolate del mismo color (a modo de ojos de la araña) y seis tiras de regaliz (las patas).

Para preparar esta receta puedes utilizar el mismo cacao en polvo con el que haces tu bebida del desayuno.

TOMA NOTA

Rellena los moldes de magdalena solo hasta la mitad, ya que una vez en el horno duplicarán su tamaño, como efecto de la acción de la levadura, y pueden desbordar los moldes, haciendo que las magdalenas pierdan su forma característica.

Otra versión de estas magdalenas: sustituye las tres cucharadas de cacao por 100 ml de nata y 50 g de coco rallado, y los fideos de chocolate por pepitas de colores.

Los merengues se hacen con cuatro claras de huevo, una pizca de sal y 250 g de azúcar. Pon las claras en un bol, añade la sal y bate con un tenedor o con un batidor de mano. Las claras están a punto de nieve cuando puedes formar con ellas picos con la ayuda del tenedor y no se desarman. Después, forma con ellas pequeños montoncitos, espolvoréalas con azúcar y ponlas en el horno precalentado. Déjalas hacer a temperatura media durante aproximadamente una hora, hasta que estén secas y doradas. ¡Ya tienes un exquisito merengue!

Cupcakes de cumpleaños

✓ ¡Y que cumplas muchos más!

Dificultad:

Tiempo: 20 minutos

Comensales: 8

Necesitas

- 6 huevos
- 250 g de azúcar
- Ralladura de limón
- 250 g de harina
- 250 g de aceite
- Un sobre de levadura
- Moldes de cupcakes
- Merengue
- Fideos de colores

 1 Echa en un bol o en la batidora los huevos y el azúcar y mézclalos. Incorpora la ralladura de limón, la harina, el aceite y la levadura. Bate todo muy bien hasta conseguir una mezcla homogénea.

 2 Precalienta el horno y ve rellenando los moldes de cupcakes hasta la mitad. Mete en el horno a 180 ºC y déjalas hacer durante aproximadamente 15 minutos. Sácalas y resérvalas.

 3 Decora cada una de las magdalenas con el merengue y los fideos de colores.

¿Te atreves a sustituir la tradicional tarta de cumpleaños por estas originales minitartas?

Si vas a tener muchos invitados, prueba a elaborar también tartitas de chocolate (basta que añadas unos 200 g de cacao en polvo a la receta original), para que así la celebración resulte más variada.

Crepes con sirope y helado

✓ ¡Deliciosas!

Dificultad: 🍴🍴🍴

Tiempo: 10 minutos

Comensales: 4

Necesitas

- 100 g de mantequilla
- 3 huevos
- 500 ml de leche
- 190 g de harina
- Una pizca de sal
- 30 g de azúcar
- 500 g (una terrina) de helado de vainilla
- Sirope de chocolate

Si quieres que tus crepes salgan perfectas, la leche y los huevos tienen que estar a temperatura ambiente. Sácalos de la nevera un rato antes de empezar a hacer la receta.

Para evitar que las crepes se peguen, añade tres gotitas (no más) de aceite en la sartén.

1 Pon la mantequilla durante unos segundos en el microondas y reserva. Coloca los huevos, la leche, la harina, la sal y el azúcar en la batidora y mezcla hasta que quede una masa homogénea. Incorpora la mantequilla y bate otra vez. Deja reposar durante unos minutos.

2 Con la ayuda de un adulto, pon a calentar una sartén antiadherente a fuego medio. Con un cucharón, echa un poco de pasta y mueve la sartén para que cubra toda la superficie (este es el secreto de unas crepes finitas).

3 Cuando la masa tome color por un lado, dale la vuelta y, una vez cocida por este lado, retírala.

4 Dobla por la mitad la crepe y ponla sobre un plato. Pon por encima un par de bolitas de helado de vainilla. Riega todo con sirope de chocolate.

TRUCO

Para obtener unas crepes exprés, utiliza los preparados en polvo que venden en el supermercado: añades a la mezcla la cantidad de leche que indica el envase (250 ml generalmente) y ya tienes la masa lista para poner en la sartén.

Tarta de queso con bolitas de helado

✓ Exquisito repertorio de lácteos

Dificultad: 🍴🍴🍴

Tiempo: 15 minutos*

Comensales: 8

* Más 4 horas de nevera.

Necesitas

- 200 g de galletas tipo María
- 70 g de mantequilla
- 300 ml de leche
- 180 g de azúcar
- 3 huevos
- 200 ml de nata
- Una tarrina (300 g) de queso para untar
- Virutas de chocolate
- 150 g de helado de vainilla

1 En la batidora, mezcla las galletas con la mantequilla hasta que queden pulverizadas. Extiende la mezcla obtenida en el fondo de un molde circular especial para tartas. Reserva.

2 En un cazo ancho, calienta la leche con el azúcar a fuego medio. Cuando esté caliente, y sin dejar de remover, incorpora los huevos, la nata y el queso.

3 Baja un poco el fuego y remueve toda la mezcla durante aproximadamente 5 minutos. Retira del fuego y, con la ayuda de un adulto, echa la mezcla en el molde, por encima de la base de galletas.

4 Mete en la nevera durante unas 4 horas. Una vez cuajada, cúbrela con las virutas de chocolate y sírvela acompañada de minibolitas de helado.

La base de galleta proporciona un toque delicioso a esta receta. Para que quede bien extendida, aplástala con la parte curva de una cuchara, dando ligeros golpecitos.

Esta tarta está mucho mejor si la haces de un día para otro.

Galletas de Navidad

✓ Decorar, degustar... ¡disfrutar!

Dificultad:

Tiempo: 25 minutos

Comensales: 8

Necesitas

- 100 g de mantequilla
- 100 g de miel
- Un huevo
- Media cucharada de nuez moscada rallada
- Una cucharadita de canela molida
- 2 cucharaditas de jengibre
- 300 g de harina
- Un sobre de levadura en polvo
- 200 g de azúcar
- Topings para decorar
- Cortapastas o moldes para hacer galletas con motivos navideños

 En el microondas, derrite la mantequilla junto a la miel. Añade el resto de los ingredientes y amásalos bien. Deja reposar aproximadamente 15 minutos.

 Estira la masa con la ayuda de un rodillo hasta que tenga unos 3 mm de grosor.

 Pon encima de la masa el cortapastas y ve dándole forma a las galletas. Colócalas en una bandeja de horno forrada con papel vegetal.

 Mete las galletas en el horno a 180 ºC y déjalas hacer durante 10 minutos.

 Sácalas del horno, hazles un pequeño hueco en la parte superior (para poder colgarlas) y decóralas a tu gusto. ¡Listas para colgarlas en el árbol!

No tengas prisa: dar forma a cada galleta puede llevarte tu tiempo, pero el resultado merece la pena.

RECUERDA

Cuanto más variadas sean las formas de tus galletas, más vistoso quedará tu árbol de Navidad o cualquier otro objeto que quieras adornar.

✓ El glaseado es el complemento ideal para decorar este tipo de galletas.

El toque de jengibre de estas galletas es muy agradable y muchos lo identifican como «el sabor de la Navidad».

SIEMPRE EN NAVIDAD

El «panettone» italiano es el equivalente al roscón de reyes español: un dulce típico de la Navidad. Hoy en día hay muchas versiones del «panettone», todas ellas deliciosas.

El mascarpone es un queso fresco de origen italiano que se caracteriza por ser muy cremoso, algo dulce y ligeramente ácido. Es el ingrediente principal de uno de los postres italianos más famosos: el tiramisú.

«Panettone» con mascarpone

✓ Manjar navideño

Dificultad:

Tiempo: 75 minutos

Comensales: 12

 Coloca en un bol 250 g harina, la leche (tibia) y la levadura. Deja reposar la masa unos 25 minutos (hasta que tenga volumen). Con el resto de la harina, haz un montículo con un hueco en el medio y añade en él la mantequilla derretida, la sal, el azúcar y los huevos. Amasa bien.

 Añade esta masa a la otra que estaba en reposo. Incorpora las pasas, las almendras y las frutas confitadas.

Engrasa un molde alto e introduce en él todo el conjunto. Vuelve a dejar en reposo hasta que pasen aproximadamente 2 horas. «Pinta» la parte de arriba con un poco de mantequilla derretida y pon el horno, precalentado a 180 ºC, durante unos 45 minutos.

 Cuando esté frío, sirve untando cada porción con abundante queso mascarpone.

Necesitas

- 600 g de harina
- Una taza de leche
- Un sobre de levadura
- 200 g de mantequilla
- Una pizca de sal
- 100 g de azúcar
- 3 huevos
- 150 g de pasas
- 100 g de almendras
- 100 g de frutas confitadas
- Una terrina de queso mascarpone

La preparación del panettone no es difícil, pero sí un poco larga, así que haz siempre esta receta ayudado por un adulto.

Tarta de fresa

✓ Del bosque al plato

con moras

Necesitas

- 200 g de galletas tipo María
- 70 g de mantequilla
- 250 g de fresas o fresones
- 300 ml de leche
- 200 ml de nata
- 180 g de azúcar
- Un sobre de cuajada
- 150 g de frutos del bosque (frescos o una bolsa de fruta congelada)
- Unas hojitas de menta para decorar

Dificultad:

Tiempo: 15 minutos*

Comensales: 8

* Más 4 horas en la nevera.

Si quieres hacer esta tarta aún más exquisita, realiza la base con galletas de chocolate. ¡Te chuparás los dedos!

Dale más color a esta tarta poniendo un poco de nata montada por encima y coronándola con los frutos del bosque.

 Prepara la base de la tarta. Para ello, pulveriza en la batidora las galletas y la mantequilla (a temperatura ambiente), hasta que quede una pasta homogénea. Cubre con esta mezcla el fondo de un molde para tartas.

 Pon en la batidora las fresas, la leche, la nata y el azúcar y bate hasta conseguir una mezcla homogénea.

 Vierte la mezcla en una cacerola; añade el sobre de cuajada y pon a calentar. Cuando hierva, baja el fuego y déjalo cocer a fuego suave 2-3 minutos más. Echa la mezcla sobre la base de galletas y déjala enfriar.

 Pon la tarta en la nevera hasta que cuaje (aproximadamente unas 4 horas). Decora con los frutos del bosque y las hojitas de menta.

CON TODO SU SABOR

Para que las fresas o los fresones conserven todo su sabor, quítales las hojas y los rabos después de lavarlos y ponlos en un cuenco de cristal. Si no los vas a usar en el momento y quieres que se conserven durante más tiempo, espolvoréalos con un poco de azúcar y una cucharada sopera de vinagre. Mételos en la nevera y remuévelos de vez en cuando.

✓ La cuajada (en polvo, instantánea), permite que las mezclas, como en este caso, adquieran una consistencia firme.

TRUCO

Antes de meter las galletas en el horno es muy importante dejar reposar la masa a temperatura ambiente, para conseguir así la textura típica de esta galleta: una costra más seca por arriba y una base más esponjosa por abajo.

Estas galletas son una versión casera de los famosos «macarons» franceses, unos dulces redondos, crujientes por fuera y blandos por dentro. Se presentan en muchos colores (según el tono del colorante alimentario utilizado) y generalmente pegados, a modo de bocadillo, mediante una pasta consistente.

Macarons de colores

✓ El famoso «macaron» francés

Dificultad:

Tiempo: 25 minutos*

Comensales: 8

*Más una hora de reposo de la masa.

Necesitas

- 70 g de almendra molida o harina de almendra
- 125 g de azúcar glas
- 3 claras de huevo
- Colorantes
- Media cucharadita de azúcar de vainilla

1 Mezcla la almendra con el azúcar glas y reserva. Bate las claras de huevo. Cuando ya hayan «subido» un poco, incorpora el colorante; sigue batiendo y una vez estén a punto de nieve, añade el azúcar de vainilla.

2 Incorpora a las claras la mezcla de almendra y azúcar, poco a poco. Una vez que la masa esté lista, da forma a las galletas.

3 En una bandeja para horno, forrada con papel vegetal, ve poniendo las galletas, con la ayuda de una cuchara, dándoles una forma lo más redondeada posible (puedes usar un molde redondo para galletas). Déjalas reposar durante aproximadamente una hora.

4 Mete el molde en el horno, a 150 ºC durante aproximadamente 5 minutos. Sácalo y déjalo enfriar. Espolvorea por encima con azúcar glas.

Si quieres obtener un resultado aún más «profesional», utiliza una manga especial para pastelería. De esta forma, la forma y el tamaño de las galletas serán perfectos.

Para una mayor variedad de colores, divide la mezcla en varios cuencos y añade distintos colorantes.

Bizcocho

✓ Delicia cítrica

de limón

Necesitas

- 2 huevos
- 250 g de azúcar
- 375 g de harina
- 125 g de aceite de girasol
- Un yogur de limón
- El zumo de un limón
- Un sobre de levadura
- Un poquito de mantequilla
- Un sobre de natillas instantáneas

Dificultad:

Tiempo: 50 minutos

Comensales: 8

1 Mientras precalientas el horno a 180 ºC, mezcla en un bol los huevos, el azúcar, la harina, el aceite, el yogur, el chorrito de zumo de limón y la levadura. También puedes batir todo en una batidora o robot de cocina.

2 Unta el fondo de un molde de bizcochos con un poco de mantequilla y echa encima la mezcla. Mete al horno durante aproximadamente 40 minutos. Sácalo y cuando esté frío desmóldalo.

3 Echa por encima las natillas, de forma que, al enfriarse, formen una capa en la parte superior del bizcocho.

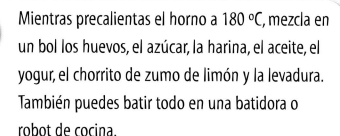

En los países anglosajones este bizcocho se conoce como «Easter Cake» y es típico de la Semana Santa. También sale delicioso si haces una cobertura a base de chocolate.

RECUERDA

Las natillas instantáneas son muy sencillas de preparar: de medio litro de leche separa unos 100 ml para desleír el contenido del sobre. Pon el resto de la leche al fuego con tres cucharadas de azúcar. Cuando hierva, añade las natillas desleídas y, sin dejar de remover, vuelve a llevar a ebullición. Retira del fuego, deja enfriar a temperatura ambiente y ¡ya están!

✓ La mayoría de los bizcochos llevan los mismos ingredientes: huevos, harina, levadura, azúcar y algún tipo de lácteo (nata o yogur, generalmente).

Chocolate caliente con galletas

✓ Desayuno y merienda antifrío

Dificultad:

Tiempo: 10 minutos

Comensales: 4

 1 En un cazo, pon la leche a hervir a fuego medio, y añade la canela. Mientras, ve partiendo el chocolate en trozos.

2 Cuando hierva, pon un poco de leche en otro cazo y funde en ella el chocolate. Añade el azúcar y mezcla todo bien.

 3 Incorpora la mezcla al cazo de leche caliente y remueve todo con energía.

 4 Sirve con cuidado en las tazas y espera un poco antes de tomarlo, ya que está muy caliente. Degústalo acompañado de galletas o de otro tipo de dulce.

Necesitas

- Un litro de leche
- 2 ramitas de canela
- 200 g de chocolate para fundir
- 100 g de azúcar
- Galletas tipo María para acompañar

El secreto de un buen chocolate a la taza es removerlo todo el tiempo, para evitar que se pegue.

Comer por el mundo

México

Comenzamos esta sección de recetas internacionales con una cocina variada, muy sabrosa, fácil de comer y picante, muy picante. Así es la comida mexicana, en la que los cereales, trigo y maíz principalmente, son los protagonistas absolutos.

1. Características

La seña de identidad de la comida mexicana es su variedad. Los ingredientes que están presentes en la mayoría de las recetas de la cocina azteca son el maíz en diversas versiones, las especias y las hierbas aromáticas, el cacao, el aguacate, la calabaza, los fríjoles y, por supuesto, el chile, un tipo de pimiento pequeño y picante que forma parte de un buen número de platos.

Otra característica típica: el colorido y la variedad que presentan todas y cada una de las recetas, que en muchas ocasiones se presentan juntas en un mismo plato. ¡Uno no sabe por dónde empezar a comer!

2. Platos típicos

La preparación más típica de la gastronomía mexicana es el mole, nombre que recibe el amplio repertorio de salsas que suelen acompañar a sus platos. También son fundamentales las tortillas, de maíz o de harina. Los tamales son una especie de empanadillas elaboradas generalmente con harina de maíz que se cuecen envueltas en hojas de mazorca. Las quesadillas, uno de los platos más populares, son deliciosas tortillas dobladas en dos y rellenas de queso. Los sopes son unas tortillas gruesas de maíz y fritas con manteca y sobre las que se pone todo tipo de ingredientes. Los fríjoles, sobre todo los negros, se preparan de muchas maneras. En cuanto a la carne, una de las formas más típicas de prepararla es cortada en tiras y frita con vegetales, formando las fajitas.

Nachos con guacamole

Necesitas

- Dos aguacates
- Una cucharada de zumo de limón
- Una cebolla
- Una cucharada de perejil picado
- Un tomate
- Dos o tres gotas de salsa tabasco
- Una cucharada de aceite de oliva
- Sal
- Una bolsa de nachos

Dificultad:
Tiempo: 30 minutos
Comensales: 4

1 Corta los aguacates por la mitad, quita el hueso y la piel y saca la pulpa. Colócala en un bol y rocíala con el zumo de limón para evitar que se oxide.

2 Agrega la cebolla bien picadita y el perejil, el tomate cortado en cuadraditos pequeños y la salsa tabasco. Mezcla muy bien todos los ingredientes, y añade el aceite de oliva y la sal.

3 Sirve la salsa en una fuente, acompañada por nachos.

Brasil

Explosión de sabores y colores. Al igual que el Carnaval por el que este país es famoso en todo el mundo, su cocina es alegre, variada y muy, muy sabrosa. Las frutas y las carnes de distinto tipo son sus principales atractivos.

1. Características

Rica y muy variada, la gastronomía típica brasileña es resultado de la fusión de otras cocinas tan distintas como la africana, la europea y la indígena. Tal vez por ello es habitual que lo dulce y lo salado se combinen a la perfección en un mismo plato, y que las frutas se utilicen como guarnición de carnes y pescados. Y es que las frutas son una de las riquezas culinarias del país de la samba: maracuyá, mango, cajús…

2. Platos típicos

La «feijoada», un plato elaborado a base de legumbres (concretamente frijoles negros) y distintos tipos de carne y que se sirve acompañado con arroz, es la «delicia nacional».

Brasil es un país en el que las carnes forman parte de la alimentación diaria. Uno de los platos cárnicos típicos, que se ha exportado a todo el mundo, es la «churrascaría», hecha a base de carnes preparadas con una técnica peculiar, el «rodizio» (se asa enrollada y se va cortando verticalmente). También son muy sabrosos el lomo y jamón de cerdo (en adobo, asado con miel…) y la «roupa velha», un plato elaborado con trozos de carne asada primero y frita después.

Es muy típico el «pao de queijo», un panecillo elaborado a base de mandioca (un tipo de harina muy fina) y queso rallado.

Batido de papaya

Dificultad:

Tiempo: 5 minutos

Comensales: 6

Necesitas

- 100 g de papaya
- 350 ml de leche
- 50 g de azúcar
- 150 ml de agua (en forma de hielo)

1 Pela la papaya y pártela en trocitos (ten cuidado para quitar las pepitas).

2 Échala en la batidora e incorpora la leche y el azúcar. Bate bien todos los ingredientes.

3 Incorpora el hielo. Da un golpe de batidora para que quede triturado y que así el batido adquiera una textura parecida al granizado. Sírvelo inmediatamente.

China

Se trata de una de las cocinas más populares en todo el mundo. ¿A quién no le encanta ir a comer a un «chino»? Buenos ingredientes, exquisitos aderezos y amplia variedad son sus principales bazas.

1. Características

En China, la alimentación es a la vez nutrición y arte. De hecho, desde los tiempos de los primeros emperadores, la comida era el núcleo en torno al cual se celebraban los acontecimientos más significativos y en cuyos preparativos estaban implicados prácticamente todos los miembros de la corte. Dos ingredientes sobresalen entre todos los demás: el arroz y la soja. La forma de cocción más característica es al vapor, una de las más sanas y que permite mantener el sabor de los alimentos y todos sus nutrientes.

2. Platos típicos

El arroz es la base de un gran número de recetas chinas. Las diferencias entre unas y otras se basan fundamentalmente en los ingredientes, que siempre se incorporan en pequeños trocitos. Las salsas desempeñan un papel fundamental en esta gastronomía, fundamentalmente la salsa agridulce y la de soja. Los rollitos son otra preparación típica: se trata de una especie de empanadillas rellenas de verduras y de otros ingredientes como el pollo. La ternera, el pollo y el cerdo se preparan en combinación con un amplio surtido de vegetales. Una de las aves más utilizadas es el pato, con el que se elaboran numerosas recetas. ¿La mejor guarnición para todos estos platos? Lo has adivinado: el arroz blanco.

Arroz frito a la cantonesa

Necesitas

- 300 g de arroz
- 100 g de guisantes (pueden ser de lata o congelados)
- 2 huevos
- 100 g de jamón de York
- Un puerro
- 100 g de brotes de soja cocidos
- 2 cucharadas de salsa de soja
- Un poco de aceite
- Sal y pimienta blanca

Dificultad:

Tiempo: 34 minutos

Comensales: 4

1 Prepara el arroz (una medida de arroz por tres de agua, echando el arroz cuando el agua hierva y dejándolo hacer durante aproximadamente 20 minutos). Mientras, en otra cacerola, cuece los guisantes con un poco de sal (también puedes usar guisantes de lata, ya cocidos)

2 Bate los huevos y haz con ellos una tortilla. Resérvala y, cuando enfríe, córtala en trocitos. Corta también en trozos el jamón de York. Lava el puerro y córtalo en rodajas muy finas.

3 Pon en la sartén un poco de aceite y echa el puerro y los brotes de soja. Cuando tomen un poco de color, añade los guisantes y, después, la tortilla y el jamón.

4 Incorpora finalmente el arroz, previamente escurrido y enfriado, sazonándolo con la salsa de soja, la sal y la pimienta. Mezcla todo el conjunto muy bien, sírvelo y cómelo de inmediato.

Francia

Los franceses tienen la virtud de dar un toque especial («très chic», como dicen ellos) al plato más sencillo. Hay opciones para todos los gustos, pero los quesos y la repostería se llevan la palma en lo que a especialidades culinarias se refiere.

Oh-la-la

1. Características

FRANCE

Teniendo como base la dieta mediterránea, en la gastronomía francesa se mezclan la tradición (no hay que olvidar las grandes cortes de los monarcas franceses y sus espectaculares banquetes) y la vanguardia. El resultado es un amplio abanico de versiones de un mismo plato, a cada cual más sabrosa. A esto hay que añadir las peculiaridades de la cocina típica de cada región, por lo que sin duda Francia es uno de los países más variados a la hora de comer.

2. Platos típicos

Para seleccionar los platos típicos de la cocina francesa, la elección es muy difícil, ya que son muchas las recetas que tienen la «denominación de origen» francesa. Y lo mismo ocurre con los alimentos: el paté, la mostaza de Dijón… sin olvidar los quesos (hay más de 350 variedades de quesos franceses).

Puede que sean el cruasán, la «mousse» (de diferentes sabores) y las crepes las recetas más populares de la cocina francesa entre los más pequeños. Las carnes y pescados se sirven siempre acompañados de exquisitas ensaladas (el primer plato francés por antonomasia) y deliciosas salsas, en cuya elaboración intervienen casi siempre la mantequilla, la leche y el queso por lo que, además de deliciosas, resultan muy nutritivas. Y hay que recordar que muchos de los grandes chefs a nivel mundial son franceses.

Suflé de queso

Necesitas

- 70 g de mantequilla
- 50 g de harina
- Medio litro de leche
- 150 g de queso emmental rallado
- 4 huevos (separadas las claras de las yemas)
- Sal y pimienta blanca
- Molde para horno

Dificultad: 🍴🍴🍴

Tiempo: 40 minutos

Comensales: 4

La clave para saber que el suflé está listo es vigilar cuándo sube (se tiene que abombar). Eso sí, hay que consumirlo inmediatamente.

1 Precalienta el horno a 180 °C. Mientras, pon en una cacerola la mantequilla (reserva un poco para untar el molde del suflé) y la harina y, a fuego suave, mezcla sin dejar de remover. Ve añadiendo poco a poco la leche y, sin dejar de remover, incorpora el queso, hasta conseguir una masa uniforme.

2 Retira la mezcla del fuego. Cuando esté tibia, añádele las yemas y mezcla todo el conjunto.

3 Pon las claras con una pizca de sal y pimienta blanca en otro cuenco y bátelas enérgicamente hasta que alcancen el punto de nieve. Añádelas a la mezcla y pon toda la preparación en el molde del suflé. Métalo en el horno y deja que se haga durante aproximadamente 30 minutos.

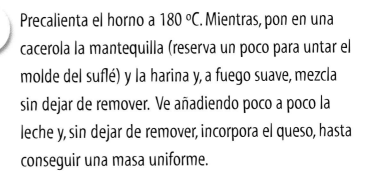

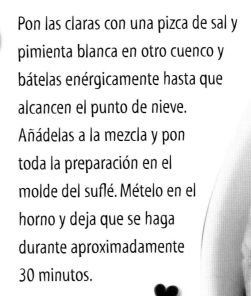

Groenlandia

La gastronomía de esta isla, la más grande del planeta si no se tiene en cuenta Australia, es heredera directa del tipo de dieta que comían y que a día de hoy siguen consumiendo los esquimales.

1. Características

En el territorio de Groenlandia, que pertenece a Dinamarca, más del 84% de su superficie es hielo. Teniendo en cuenta las temperaturas tan extremas que se alcanzan en esta parte del mundo, no es de extrañar que toda su cocina esté destinada a «hacer entrar en calor» a sus habitantes. Por eso, las recetas típicas de Groenlandia son muy contundentes y aportan muchas calorías. Las carnes (de reno, principalmente) y los pescados (el salmón y el bacalao) son algunas de las materias primas a partir de las cuales se elaboran comidas que, si bien pueden resultar chocantes (sobre todo si te cuentan a partir de qué alimentos se han elaborado), resultan muy sabrosas.

2. Platos típicos

Las sopas ocupan un lugar estelar en la cocina de Groenlandia. La más típica es la que se elabora a base de carne de foca, ballena o reno. El pescado es otro de los ingredientes esenciales, principalmente el bacalao, en sus distintas versiones. Otro plato típico es el «ammassat», un pescado seco que tiene un sabor parecido al arenque. El fletán es un pescado muy abundante en sus aguas y que forma parte de muchas recetas groenlandesas, y se suele preparar ahumado. La carne y la grasa de foca son manjares para los esquimales que habitan estas tierras. La carne de caribú, que a nosotros nos puede parecer una rareza, es otra delicia característica de Groenlandia.

¡BRRRRR! ¡QUÉ FRÍO!

Tortilla de bacalao

Necesitas

- 500 g de bacalao desalado (también pueden utilizarse migas de bacalao)
- Media cebolla
- Un pimiento verde
- 4 huevos medianos
- Un poco de aceite
- Sal

Dificultad:
Tiempo: 8 minutos
Comensales: 4

Si te gustan las gambas, no dudes en añadir unas poquitas cuando eches la cebolla y el pimiento a la sartén. ¡Te saldrá una tortilla im-pre-sio-nan-te!

 1 Trocea el bacalao y resérvalo en un cuenco. Parte la cebolla y el pimiento en trocitos pequeños y reserva también.

 2 Pon la sartén al fuego con un poco de aceite y, mientras se calienta, bate los cuatro huevos enérgicamente dentro de un bol profundo. Resérvalos.

 3 Echa la cebolla y el pimiento en la sartén; deja dorar hasta que tome color. Añade después el bacalao y rehoga todo junto durante unos minutos. Aparta del fuego, quita el exceso de aceite y echa la mezcla en el bol que contiene los huevos.

4 Vuelve a poner la sartén al fuego; echa un poquito de aceite e incorpora la mezcla. Cuando empiece a cuajar, dale la vuelta con cuidado, para que se haga por el otro lado. Dale una vuelta más… y ya está lista para servir y degustar.

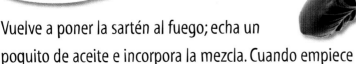

Americanismos

Pese a compartir el mismo idioma, hay algunas recetas, preparaciones e ingredientes que no se llaman de la misma manera en todos los países hispanohablantes. Estos son algunos ejemplos.

1. Frutas, verduras y legumbres

- Aceituna: Oliva
- Ajo: Chalote
- Alcachofa: Alcaucil
- Alcaparra: Párara
- Apio: Arrachá
- Cebolleta: Cebolla cabezona
- Cereza: Capulí
- Fresas: Frutillas
- Guisantes: Alverjas
- Judías blancas: Fríjoles, carotas
- Limón: Acitrón
- Melocotón: Durazno o prisco
- Pasas de Corinto: Uva pasa
- Patata: Papa
- Pimiento rojo: Ají morró, rocoto
- Pimiento verde: Poblano, gualpe
- Piña: Ananá
- Plátano: Banana, cambur
- Pomelo: Toronja
- Puerro: Ajo porro
- Remolacha: Betabel
- Tomates rojos: Jitomates

2. Salsas y preparaciones

- Almíbar: Jarabe de azúcar
- Bechamel: Besamel
- Crema: Natillas, flan
- Crema de leche: Flor de leche
- Huevos revueltos: Pericos
- Puré de patata: Naco
- Relleno: Recado
- Salsa picante: Mojo, mole
- Salsa de tomate: Tornaticán

3. Condimentos

- Aliño: Condimento
- Azafrán: Bijol
- Comino: Alcaravea
- Especias: Olor
- Hierbabuena: Hierbasanta
- Pimentón: Ñora, chile poblano
- Romero: Rosmarino
- Vainilla: Tlixóchitl
- Pimienta: Pebre

4. Carnes y fiambres

- Bacón: Tocino ahumado
- Carne de vaca: Carne de res
- Cerdo: Cebón, cochino
- Chuleta: Bife
- Filete: Bife, entrecote, churrasco
- Jamón ibérico: Pernil
- Jamón magro: Jamón crudo
- Jamón de York: Jamón cocido
- Pavo: Chumpique
- Ternera: Jata, mamón, becerra
- Tocino: Cuito, unto

5. Pescados y mariscos

- Anchoa: Anchova
- Arenque: Alosa, sábalo
- Atún: Abácora
- Besugo: Castañeta
- Boquerón: Anchoíta
- Mejillones: Moule
- Merluza: Corvina
- Pescadilla: Merluza pequeña
- Rape: Raspado, pejesapo

6. Otros ingredientes y alimentos

- Harina de maíz: Capí, maicena
- Miga de pan: Borona
- Nata líquida: Crema de leche sin batir
- Pan de molde: Pan inglés, pan cuadrado o pan de caja
- Pan rallado: Pan molido
- Pelar: Arruchar
- Pastel: Budín
- Requesón: Cuajada